Hans Hellmut Kirst

Hund mit Mann

Bericht über einen Freund

Wilhelm Goldmann Verlag

Made in Germany · 5/82 · 1. Auflage · 1115

Umschlagentwurf: Atelier Adolf und Angelika Bachmann, München
Umschlagfoto: Jay Kindler, München
Druck: Mohndruck Graphische Betriebe GmbH, Gütersloh
Verlagsnummer: 6434
Lektorat: Gerda Weiss · Herstellung: Peter Papenbrok
ISBN 3-442-06434-1

Bericht über einen Freund

Hier soll versucht werden, von nahezu klassisch erscheinenden Tragödien, aber auch von Lustspielen zu berichten, die sich im Leben eines vergleichsweise kleinen Hundes ereignet haben. Der schien nämlich alle erdenklichen, selbst noch so fragwürdige Spielarten dieses Daseins an sich zu ziehen; ohne ihnen jemals voll ausgeliefert zu sein. Seine überaus seltsamen, mit sicherem Instinkt absolvierten Lebenserfahrungen machten ihm das möglich.

Dazu gehörten, wie unvermeidlich: schwere Katastrophen, wundersamste Abenteuer, bestürzende Feindschaften, herrlichste Wonnen, erlösende Freundschaftsgefühle. Die Erlebniswilligkeit dieses Hundes wollte zunächst allen, die ihm begegnen durften, reichlich verwegen und verwunderlich vorkommen, sehr bald dann aber auch ungemein faszinierend. Und das schien dieser kleine, eigenwillige Kerl immer wieder intensiv zu genießen; oder zumindest versuchte er es.

Zunächst aber dominierte auch hier nichts als die sehr bereitwillig übernommene gewöhnliche Ansicht: Hunde, von welcher Art auch immer, sind gemeinhin ergebene, treue, hingebungsvolle Begleiter von Menschen, jederzeit abrichtbar – etwa für die Jagd auf andere Tiere, um irgendeinen Besitz zu bewachen, oder dahingestreckt zu den Füßen eines fressenspendenden Herrenmenschen zu liegen, sei der nun männlich oder weiblich. Alles Erfahrungen, die diesem Hundewesen nahezu erspart blieben.

Dafür sorgte er selbst – mit überaus einfallsreicher, ja intensiver Beharrlichkeit – sein Leben lang. Und das sollte dann eine geradezu biblisch lange Zeit andauern. Wobei eins immer wieder ganz deutlich wurde: dieser Hund wollte nichts als leben, leben um es zu erleben. Darauf schien er entschlossen zu bestehen.

Nichts Derartiges war wohl jemals vorauszusehen gewesen; schon gar nicht von den ahnungslosen Menschen seiner Umgebung. Was so verwunderlich und leicht kurios begann, verwandelte sich alsbald in ein Panorama voller Feuerwerk und Irrlichter. Und dabei gab es Augenblicke, in denen dieser kleine Hund wie ein großer Zauberer erschien.

1.
Ereignisse im Jahre eins

Zunächst schien dieses Jahr ein vergleichsweise geruhsames, vielversprechendes zu werden: die Familie war glücklich, der Gesundheitszustand aller stabil, die Geschäfte gingen gut. Auf einen milden Frühling folgte ein strahlender Sommer.

Der Garten war voller Singvögel, und die nachbarlichen Katzen suchten ihn meist vergeblich heim. Die ersten Rosen blühten am Haus, die Wiese davor hatte schon knöchelhohes Gras; und nahe dem idyllischen Teich, durch den ein winziger Bach floß, röhrten allnächtlich die Frösche, ohne damit notorische Schläfer stören zu können.

Noch war hier nichts, nicht das geringste erkennbar, ja nicht einmal vorstellbar von dem, was sich alsbald ereignen sollte. Oder gab es da etwa einen lauernden Menschen mit einem scharf geladenen Gewehr nahe dem Zaun? Oder ein Rudel zerreißwütiger Schäferhunde, die scharf nach jedem sie störenden Eindringling Ausschau hielten? Oder dachte jemand an die Folgen sogenannter technischer Errungenschaften: an dahinrasende Autofahrer, die Tiere in blutbreiigen Straßendreck verwandelten; an zwecks Wachstumsförderung und Ungeziefervertilgung versprühte Chemikalien, die zu erwürgenden Vergiftungen führen konnten; an sich angewidert, gestört fühlende Menschen, in deren Augen vierbeinige Lebewesen lediglich stinkende Koterzeuger und lästige Urinversprüher sind?

Gewiß gab es das alles; doch die meisten Menschen wollten sich damit nicht auseinandersetzen. Denn sie hatten wohl noch niemanden, der sie auf all diese Dinge hinwies. Doch hier trat nun jemand in Erscheinung, dem das gegeben war.

Das begann, als der Mann – der dieses alles miterleben sollte, oder besser wohl durfte – nach einer längeren Auslandsreise wieder zu seinem Haus in dörflicher Gegend, erfreulich weit am Rande einer großen Stadt, heimkehrte. Dort angekommen, glaubte er jedoch, gleich irgend etwas Ungewöhnliches, wenn nicht gar Unangenehmes wittern zu müssen; wurde er doch mit einer, ihm nicht ganz unverdächtigen Feierlichkeit empfangen.

Er war, wie die Leute rundheraus sagten, der Mann einer *dekorativen Frau.* Einer Frau mit einer ganzen Menge herzlicher Fröhlichkeit, die aber auch als recht eigenwillig galt. Sie war wohl entschlossen, ein Familienmuttermensch von großer Häuslichkeit zu sein, brachte dafür viele Voraussetzungen mit und entwickelte dementsprechende Fähigkeiten beharrlich weiter. Wozu sicher auch gehörte, daß der Mann alsbald auch der Vater eines Kindes sein würde; eines Mädchens, wie sich zu seiner Freude bald herausstellen sollte.

Danach jedenfalls glaubte dieser Mann einer geregelten, gesicherten, überschaubaren näheren Zukunft entgegensehen zu können. Wozu gewiß auch die Familienidylle unter dem nächsten Weihnachtsbaum gehörten; sowie sonstige Fest- und Ferienfreuden.

Nunmehr jedoch eilte ihm seine Frau plötzlich bis zur hausfernen Garage entgegen – als habe sie, aus dem Fenster spähend, allein auf sein Erscheinen gewartet. Und dann umarmte sie ihn. Ein Vorgang, der in dieser ansonsten geruhsamen Ehe keinesfalls üblich war; nicht jedenfalls bei sozusagen normalen Anlässen. Er erkannte: sie wirkt irgendwie besorgt.

»Ist etwas passiert? Du machst diesen Eindruck. Muß ich beunruhigt sein?«

»Mußt du nicht«, versicherte ihm seine Frau nahezu beschwörend. »Vielleicht kannst du dich sogar über das, was nun auf dich zukommt, freuen. Das hoffe ich sehr. Jedenfalls solltest du versuchen, dabei nichts zu überstürzen, eine gewisse Geduld zu entwickeln – das könnte sich sicher lohnen.«

Des Mannes instinktive Unruhe wuchs, zumal seine Frau auch noch versuchte, allerdings vergeblich, ihm den Reisekoffer abzunehmen. Da blieb er auf dem kurzen Weg von der Garage zum Haus ahnungsvoll besorgt stehen. »Also was, bitte, hat sich inzwischen ereignet?«

Worauf die Frau, durchaus tapfer, entschlossen und unbeirrbar, ihm zu erklären versuchte: »Da existiert jetzt noch jemand, der nun zu uns gehört. Und ich kann nur hoffen, du wirst dich damit abfinden. Also – mit ihm.«

»Womit, bitte – also mit wem?« Seine Stimme war voller Unruhe; strebte er doch möglichst klare, überschaubare, gesicherte Verhältnisse an, wozu auch gehörte, daß er schnelle, ihm aufgezwungene Veränderungen in seinen Lebensgewohnheiten verabscheute. Das hätte sie eigentlich wissen müssen.

»Also, was gedenkst du mir denn da zuzumuten?«

Er korrigierte sich schnell. »Ich wollte sagen: Was kommt denn da auf mich zu?«

Was nunmehr auf diesen Mann zukam, erblickte er, als er gemeinsam mit seiner Frau das Haus betrat. Als er im großen Wohnraum angekommen war, wobei er immer noch seinen Reisekoffer in der Hand trug, sah er dann endlich, was ihm hier vorzuführen beabsichtigt war:

Ein tiefschwarzes, wollknäuelartiges, lockenhaariges Wesen; schneller Reaktionen offenbar fähig. Das war ein Tier, eindeutig ein Hund. Und der wieselte nunmehr auf diesen Mann zu, wobei einige seiner Besonderheiten, sozusagen gleich auf den ersten Blick erkennbar waren: eine lederartige, feuchtleuchtende Nase und zwei funkelnde Augen – kieselsteinblank, quellwasserklar, von höchster Aufmerksamkeit.

»Der also«, stellte nun der Mann, ehrlich erstaunt fest – ein wenig erleichtert wohl auch, hatte er sich doch weit Schlimmeres vorgestellt. Dennoch reagierte er nicht ohne verhaltenen Vorwurf: so was hätte sie ihm vorher mitteilen sollen, mit ihm absprechen müssen! Als sei er leicht entkräftet, stellte er seinen Reisekoffer endlich ab. »Was ist denn das für einer?«

»Unser neuer Hausgefährte!« erklärte ihm die Frau: um dann herzlichst werbend hinzuzufügen: »Versuche dich mit ihm anzufreunden, bitte! Das ist ein Pudel, ein sogenannter mittelgroßer. Sein Name ist Muckel. Und er wird dir bestimmt gefallen. Er besitzt ein besonders herzliches Wesen.«

Bei diesen Worten war das kleine Knäuel mit dem als *besonders herzlich* bezeichneten Wesen, bei dem Mann angelangt. Allerdings jedoch nicht, um den, wie von ihm vielleicht erhofft, angemessen freudig zu begrüßen, ihn dankbar zu beschnuppern, ihm hündische Ergebenheit zu demonstrieren; der schien sich viel mehr für dessen Reisekoffer zu interessieren. Bei dem handelte es sich um ein prächtiges Exemplar aus Büffelleder; mit silbernen Beschlägen.

Das beroch nun dieser Muckel wie entzückt; um dann unverzüglich eines seiner Hinterbeine zu heben, weit aufwärts, geradezu graziös, – er sollte auch später bei derartigen Vorgängen eindeutig sein rechtes hinteres Bein bevorzugen. So bepinkelte er also den Koffer des Mannes.

Danach zog sich dieses Hundetier zurück – ganz genau zum Ausgangspunkt zurück. Mit Bewegungen, die tänzerisch elegant anmuteten; was allerdings der Mann in diesem Moment nicht erkannte. Vielmehr glaubte der, in den Augen des Tieres ein vertrauliches Blinzeln zu sehen – ein Blinzeln, das allein ihm zu gelten schien. Das machte ihn sprachlos.

Und so stand er auch noch stumm da, als sich dieses Muckeltier nunmehr mitten auf den Teppich hockte. Das war ein Prachtexemplar von einem Schiras, von ornamentaler Schönheit, beherrscht von hellsanft leuchtenden Rotfarben; er hatte den Mann ein Vermögen gekostet. Doch eben auf dieses einzigartige Exemplar feinster, dichtester orientalischer Webkunst, machte nun dieser Hund einen Haufen – einen vergleichsweise kleinen und glücklicherweise ziemlich kompakten.

Die Frau staunte mit bereitwilligem Verständnis, der Mann mit deutlichem Unwillen. »Na – sonderlich fein scheint der ja nicht gerade zu sein.«

»Was ein Irrtum von dir ist!« verteidigte sie ihr Tier lebhaft. »Wenn sich dieses kleine wunderschöne Kerlchen jetzt gleich sozusagen mehrfach in die Hosen gemacht hat, dann vielleicht aus Respekt vor dir; wenn nicht gar aus purer Begeisterung. Dem scheinst du zu gefallen. Gefällt er dir etwa nicht?«

»Na ja – der ist an sich ganz niedlich«, glaubte der Mann feststellen zu müssen. »Aber der scheint ziemlich fürchterliche Manieren zu besitzen; und sich dann auch noch über sein schlechtes Benehmen zu freuen.« Worauf er allerdings, besorgt um sein harmonisches Familienleben, leicht einlenkend hinzufügte: »Und mit so was, meinst du« –

verlangst du also, hieß das – »habe ich nun zu leben?«

»Darum bitte ich dich«, forderte die Frau mit drängender Herzlichkeit. Dabei entrollte sie meterlange Streifen Toilettenpapiers, das nun für sie, vermutlich kartonweise, griffbereit dazuliegen schien. Damit beseitigte sie, sehr gekonnt, also wohl bereits mehrfach geübt, die Verdauungsendergebnisse ihres Hundes – der nun wohl auch sein Hund zu sein hatte.

»So ist das nun mal«, erklärte sie dem Mann. »Und ich verlange ja nicht, daß du dich gleich damit abfindest! Aber früher oder später wirst du dich mit ihm anfreunden. Bestimmt sogar wesentlich früher, als du glaubst.«

Muckel lag jetzt froh und entspannt mitten auf dem Teppich, der auch ihm, auf seine Weise, überaus zu gefallen schien. Er hatte die Beine unter den Körper gezogen, reckte aber seinen Kopf mit den buschigen Schlappohren hoch. Es sah aus, als schlösse er die Augen; doch nur, um so sicherer Witterung aufnehmen zu können.

Als hätte ihn das alles ungeheuer angestrengt, begann er jetzt hörbar zu hecheln. Wobei eine kleine rosarote Zunge zum Vorschein kam. Er deutete damit an, daß er sich ungemein wohlfühlte.

Nicht allzulange nach dieser ersten Begegnung wollte sich der Mann dieses seltsame Geschöpf noch einmal, ein wenig näher, ansehen.

Inzwischen hatte er sich, in den für ihn reservierten oberen Räumen, seines Anzuges entledigt, sich in einen weit schlotternden flauschigen Hausmantel gehüllt, seine Füße in weißwollige Socken gesteckt und weiche bequeme Lederschuhe darüber gezogen. So verwandelt traf er wieder im unteren großen Wohnraum ein, auch in dieser Gewandung um eine gewisse hausherrliche Würde bemüht.

Bei seinem Anblick lächelte seine Frau – vermutlich nachsichtig, verständnisvoll. Besänftigend streichelte sie ihren unverzüglich aufmerksamen Hund. Sie hockten beide auf dem Teppich, der Hund in ihren Armen. Jetzt richtete der sich freudig-erwartungsvoll auf, als wolle er sich diesem Mann geradezu entgegenschnuppern.

Der ließ sich auf das Sofa fallen, als sei er immer noch, oder schon wieder, durch den Anblick dieses entwaffnend komischen Kleintieres leicht entkräftet. Dabei mußte er widerwillig staunend registrieren: dieses Hundetier blinzelte ihn abermals an! Und zwar mit einer Zutraulichkeit, die der Mann als nahezu kumpanenhaft empfand. Doch so was zu übersehen, schien er für dringend geboten zu halten.

»Stellen wir also fest«, sagte er dann zu seiner Frau, »daß du ganz offenbar darauf zu bestehen scheinst, dieses Tier bei uns aufzunehmen.« Was im Klartext hieß: so was also bist du entschlossen mir zuzumuten.

Dabei sah er den Hund nun voll an und der gab den Blick voll zurück – mit schwarzfunkelnden Augen. Dann jedoch wandte Muckel sich ganz der Frau zu, als wisse er ganz genau: die liebt mich, die ist bereit, mich zu verteidigen, sich jederzeit vor mich zu stellen!

Wüßte er, was unter dem Begriff *walkürenhafte Entschlossenheit* zu verstehen ist, er hätte eine derartige Eigenschaft sogar dieser fröhlich-mädchenhaften Frau voll zuerkannt.

»Der«, rief sie dem Mann zu, und zeigte auf Muckel, »ist ein ganz herrliches Wesen! Siehst du das denn nicht? Du liebst doch Tiere, das hast du mir oft gesagt, und ich glaube das ja auch.«

Er habe, versicherte er ihr, nichts, nicht das geringste gegen Hunde einzuwenden. Hätten die sich doch schon oft als besonders liebe Wegbegleiter des Menschen erwiesen. Deshalb könne auch er sich in seinem Leben, durchaus, ein solches Geschöpf vorstellen.

Was er damit meinte, wußte seine Frau ziemlich genau. Etwa: herrlich selbstbewußte, witterungsentschlossene Schäferhunde; auch mächtige, betreuungswillig dahintrottende Bernhardiner; nicht zuletzt Neufundländer, von einzigartiger Menschenfreundlichkeit, massiv entschlossen, diese auch zu verteidigen.

»Aber, ich bitte dich, doch nicht den!« Wobei der Mann wenigstens taktvoll genug war, Muckel bei dieser Bemerkung nicht anzusehen – seine Frau vorsichtigerweise auch nicht. »Mußte denn so was unbedingt sein?«

»Sei bitte vorsichtig!« riet ihm seine Frau; sie blickte freudig auf den Hund in ihren Armen und dann auf ihren Mann. »Offenbar scheinst du zu vermuten, daß es sich bei unserem Muckel um irgendein Zufallsprodukt handelt. Er ist aber von edler Rasse.«

»Tatsächlich? So kommt der mir allerdings nicht vor.«

»Sollte es das sein!« rief seine Frau streitbar aus. »Solltest du tatsächlich wert auf einen Hund mit sogenanntem Stammbaum legen? Möglichst mit einem, der bereits auf hundert Meter Entfernung erkennbar ist?«

»Aber nein, nein!« wehrte der Mann leicht erschreckt ab. »Darauf kommt es mir wirklich nicht an.« Diese gezielte Verdächtigung, er wäre ein Mensch, der entschieden Wert auf Adel und Rasse lege, mißfiel ihm. »Ich bitte dich, meine Liebe! Mir ist auch irgendein Bastard willkommen, die können sehr klug sein. Oder irgendeine Promenadenmischung, die sind oft lustig und besonders anhänglich. Ein Pudel aber ist ein sogenannter Modehund; schon immer gewesen. Und diese Sorte mag ich nicht sonderlich.«

Als sei er durch eine derartige Bemerkung herausgefordert, ging Muckel nun zu etwas über, was er sich auch später noch oftmals einfallen lassen sollte: die direkte Konfrontation! Damit versuchte er immer Vorgänge zu klären, die ihm irgendwie fragwürdig, oder eben undurchsichtig erschienen.

In diesem erkennbar ersten Fall löste er sich, sehr sanft, von der Frau – Muckel konnte nämlich, wenn er wollte, von überaus höflichem Wesen sein – und trottete sodann langsam, offenbar schien ihm Vorsicht geboten, mit leicht steif gewordenen Beinen auf den Mann zu. Seine dunklen Augen blinzelten neugierig. In einer Entfernung von etwa einem Meter blieb er stehen, nahm Witterung auf.

»Na, du kleiner Adliger!« rief ihm der Mann freundlich zu, gerührt über diesen gefälligen Annäherungsversuch.

»Siehst du – der interessiert sich für dich!«

»Na, dann komm mal her, Muckel.«

Der stürzte sich ihm nun entgegen, sprang mit plötzlichem Schwung auf die Füße des Mannes zu. Um sich dann, mit schnell und verblüffend sicheren Beißgriffen eines von dessen ledernen Hausschuhen zu bemächtigen. Den zerrte er an sich und flüchtete, mit seiner nunmehr ersten Beute, in die äußerste Ecke des Raumes.

Dort begann er diesen eroberten Gegenstand mit freudiger Heftigkeit zu bekauen. Den Versuch, ihm die Beute zu entziehen, beantwortete er mit überraschend unwilligem Knurren. Die Frau meinte nur: »Laß ihn ruhig! Du brauchst sowieso neue Hausschuhe.«

Während Muckel an seiner Lederbeute kaute, erzählte die Frau ihrem Mann, wie sie zu dem Hund gekommen war.

»Du bist diesmal länger als sonst fortgewesen – was keinesfalls ein Vorwurf sein soll, nur der Versuch einer Erklärung. Währenddessen bin ich, vor etwa einer Woche, beim Arzt gewesen, und der hat mir versichert, daß mit mir und dem Kind alles in bester Ordnung sei. Glücklich fuhr ich also um den Starnberger See und genoß alles, was ich da sah, besonders intensiv: die sommergrünen Wiesen, die großäugigen, überaus sanft wirkenden Kühe, die alten Bäume in glänzender Blätterpracht – in den letzten Tagen hatte es viel geregnet. Der gläsern leuchtende See mutete unendlich sauber an.

Dabei sah ich plötzlich, an einem Tor mitten in einer dichten Hecke, ein Schild: *Hundefarm.* Weiter nichts. Da ich reichlich Zeit hatte, stieg ich aus und ging hinein. Eine ältere Dame empfing mich, keinesfalls sich anbiedernd verkaufstüchtig. ›Derzeit‹, sagte sie, ›kann ich nur einen Wurf anbieten, allerdings einen der besten, der hier jemals gelungen ist. Sechs prächtige Exemplare. Sie können sie ja mal anschauen.‹

Und das tat ich. Da lag geruhsam ein herrliches Mutterwesen, das von etlichen pechschwarzen Wollknäueln umwimmelt wurde. Die wirkten sehr fröhlich und überaus verspielt – aber auch so schrecklich schutzbedürftig. Doch dann wieselte plötzlich eins dieser Tiere, mit funkelnden Augen und langen Schlappohren, auf mich zu. Ich streckte ihm die Hand hin – und die begann es zu benagen, daran zu saugen; seine Zähne waren rührend klein.

›Ganz besondere Prachtexemplare‹, erklärte sachlich die Hundefarmdame. ›Mit allerbestem bayerischen Stammbaum. Der Erzeuger war Bundessieger vor zwei Jahren; und dessen Mutter kam aus Frankreich, aus Burgund. Sie werden kaum etwas finden, das als edler bezeichnet werden könnte.‹ Entsprechend war auch der Preis. ›Sie müssen sich nicht gleich entscheiden – so was rate ich niemandem. Kommen Sie an einem der nächsten Tage wieder. Aber bedenken Sie, bitte, daß die Nachfrage nach Hunden von dieser Qualität recht groß ist.‹

Gleich am nächsten Tag begab ich mich wieder dort hin. Und dieser Hund, der noch gestern spontan auf mich zugewieselt war, hielt sich immer noch dort auf; glücklicherweise. Und wieder schien er freudig auf mich zuzukommen, hechelnd und flink. Ich war ganz sicher: der hatte mich wiedererkannt, ja, auf mich gewartet.

›Den nehme ich!‹ entschied ich schnell. Wobei du dir über den Preis keine Gedanken zu machen brauchst, das ist allein meine Angelegenheit; das verrechne ich mit dem Wirtschaftsgeld. Jedenfalls brachte ich ihn nach Hause – zu uns. Und nun ist er da! Ein herrliches Geschöpf! Ich kann mir gar nicht vorstellen, daß du mir seinetwegen irgendwelche Schwierigkeiten machen könntest.«

So was, das wußte er bereits seit längerer Zeit, konnte er sich bei dieser Frau auch kaum leisten – das wollte er auch gar nicht mehr. Zumal sie entschlossen schien, diesen Hund zu lieben; und der fühlte sich hier offensichtlich wohl, pudelwohl sozusagen. Er zermampfte weiter, nun ganz in diese Beschäftigung versunken, den von ihm eroberten Lederhausschuh; wobei er wonnig schnaufte.

Hier hatte sich erstmals eine der ganz großen Leidenschaften dieses Tieres gezeigt: die spielerische Freude an Besitzergreifungen. Ein Wesenszug, aus dem sich bald einige höchst gefährliche, sogar lebensgefährliche Komplikationen ergeben sollten.

Zunächst jedoch beherrschten den Mann wesentlich andere Sorgen. »Du weißt, meine Liebe, daß ich stets einen gewissen Wert auf Einfachheit, Natürlichkeit lege, auf eine möglichst naturnahe Lebensweise.«

»Weiß ich«, bestätigte sie ihm aufmerksam, aber auch ein wenig mißtrauisch. »Doch was, bitte, hat das mit diesem Hund zu tun?«

»Nun – so ein Hund benötigt wohl weniger eine Art Familienanschluß, als vielmehr eine Bezugsperson; einen Menschen also, zu dem er gehört, weil der zu ihm gehören will. Und das bin ich leider nicht, kann ich gar nicht sein, da ich schließlich oftmals unterwegs bin.«

Sie blickte ihn mit mildem Lächeln an. »Das ist kein Problem. Dieser Muckel ist mein Hund; ich allein will das für ihn sein, was du Bezugsperson nennst.«

Und das war und blieb sie denn auch. Mit geradezu phantastischer Selbstverständlichkeit. Ein ganzes Muckel-Leben lang.

»Vielleicht können wir dann noch eine Kleinigkeit klären, wenn du erlaubst. Dieser dein Muckel ist ein Pudel, ein mittelgroßer – und zwar einer, wie du betonst, von edler Rasse.«

»Von edelster Rasse! Du brauchst dir nur seinen Stammbaum anzusehen.« Dieses Thema schien ihr zu gefallen. »Der gehört nämlich zu einer Zuchtgruppe, die sich Herzog Adalbert von Bayern nennt. Und da er dort zum dritten Wurf dieses mehrfach preisgekrönten Muttertieres gehört, darf sein Name dementsprechend mit einem C beginnen – er könnte also etwa Claudius, Constantin oder Clavigo heißen.«

»Doch du nennst ihn Muckel – warum?«

»Du hast mir neulich, von deiner letzten Reise, ein Buch mitgebracht, in dem ich sehr gern gelesen habe – die Märchen von Hauff. Da gab es eins, das mich besonders beeindruckt hat: Der kleine Muck! Was bei uns eben Muckel bedeutet – und deshalb habe ich ihn so genannt.«

Das alles vermochte den Mann nicht unbeeindruckt zu lassen. Daß seine Frau sich derartig intensiv mit einer von ihm angeregten Lektüre beschäftigte, rührte ihn sehr. Doch selbst dadurch gedachte er sich nicht in seinen Bemühungen beirren zu lassen, möglichst frühzeitig das herbeizuführen, was ihm als eine notwendig erscheinende Klärung angebracht schien.

»Ein Pudel also. Mithin eins jener Modehundegeschöpfe, denen gemeinhin großartige Frisuren zugemutet werden – löwenartige, gelackte, fabelwesenähnliche! Oft getrimmt, verschwenderisch onduliert, fleißig zu Schauobjekten verwandelt. Keine andere Hunderasse ist jemals derartig oberflächlich mißbraucht worden. Aber so was ist hier ja wohl kaum zu befürchten – nicht bei dir. Denn das, ehrlich gesagt, könnte ich kaum ertragen.«

»Mußt du auch nicht. Das alles solltest du mir überlassen. Dieser Muckel wird wohl stets sorgfältig gekämmt und von Zeit zu Zeit frisch gewaschen in Erscheinung treten; niemals aber modisch aufbereitet herumlaufen. Auch für mich ist er schließlich kein Ausstellungsobjekt, kein gefälliges Paradestück, kein standesgemäßes Vorzeigeprodukt. Der soll viel mehr sein: ein eigenartiger, eigenwilliger, intensiv lebender Hund. Also genau das, was du doch sicher auch willst.«

Das jedoch war nicht etwa ein schnell gegebenes Versprechen, mit dem sich eventuelle, unbequeme Fragen blockieren ließen. Vielmehr war das eine verbindliche Versicherung, die fortan niemals in Frage gestellt werden konnte. Denn solange, so beglückend lange dann dieser Hund bei ihnen lebte, durfte er immer nichts Geringeres, nichts Herrlicheres sein, als ein Hund.

Damit war zunächst schon mal sehr Wesentliches geklärt. Muckel wurde von dem Mann akzeptiert – als ganz normaler Hund. So scheinbar verblüffend einfach begann alles.

2.
Katastrophen kündigen sich an

An einem der nächsten Tage versuchte Muckel – der noch weitgehend wie ein ahnungsloses, hilfloses Kleinkind in Erscheinung trat – die Treppe zum oberen Stockwerk dieses Hauses zu besteigen, sich also dem Bereich des Mannes zielstrebig zu nähern.

Dabei waren zwölf Stufen zu bewältigen. Zwölf Stufen aus hartem Eichenholz, glänzend und glatt gebohnert. Und eben das mußte für die bisher so gut wie unstrapazierten Samtpfoten dieses kleinen Hundes ein Hindernis ähnlich einem schwer zu besteigenden Berg sein. Muckel schreckte dennoch nicht davor zurück – ebenso ahnungslos wie mutig.

»Er kommt!« rief die Frau freudig aus. »Zu dir!«

Worauf sich der so alarmierte Mann beeilte, die Tür zu seinem geräumigen Arbeitszimmer einladend weit zu öffnen. Und er registrierte: dieser Muckel hatte inzwischen schon vier jener gletscherhaft glatten Stufen bewältigt. Worauf der dann, aufschnaufend und Energie sammelnd, kurz ausruhte.

»Das schafft der nicht«, meinte der schon rein räumlich über all diesen Vorgängen stehende Mann.

»Der schafft das!« behauptete die Frau suggestiv. »Der schafft einfach alles, was er unbedingt will – und jetzt will er zu dir. Darüber solltest du dich freuen.«

Wozu der Mann auch bereit war. Reichlich ahnungslos, wie wohl oft, blickte er dem zu ihm aufstrebenden Muckel ermunternd entgegen. Was der offenbar als herzliche Aufforderung empfand. Dementsprechend reagierte er.

In einem erneuten Anlauf bewältigte er jetzt vier weitere dieser sich vor ihm wohl riesengroß auftürmenden Stufen. Und dann gleich noch einmal, als sei er jetzt gerade richtig in Schwung gekommen, die restlichen vier. Nunmehr jedoch ruhte er sich erschöpft aus; er ließ sich zu Boden fallen, streckte seine Beine weit aus und atmete angestrengt. Seine Augen aber blinzelten beglückt, wenn nicht gar triumphierend.

»Er hat es geschafft!« rief die Frau. Sie war so begeistert, als wäre nun wieder eine entscheidende Schlacht geschlagen worden. Was ja wohl auch nicht ganz unzutreffend zu sein schien.

Diese kaltglatte, zwölfstufige Treppe sollte sich erst wieder – glücklicherweise weit mehr als zehn Jahre später – für diesen Muckel als einigermaßen unangenehm und problematisch erweisen; als nämlich die unermüdlichen Beinchen des kleinen Kerls zu ermüden, sich gelegentlich sogar zu versteifen begannen; als sein sonst so sicheres Gleichgewichtsgefühl nachzulassen drohte.

Jetzt jedoch, nach Muckels erster gelungener Treppenbesteigung, erging an ihn die einladende Aufforderung seines Oberhausbesitzers: »Na – dann komm herein, kleiner Hund!«

Der trottete nun auf den Mann zu – freudig wedelnd und mit scheinbar vertraulichem Augenblinzeln. Doch dann bewegte er sich schnell an dem vorbei, hinein in dessen großes Arbeitszimmer. Muckels feuchtblanke Ledernase schien heftig Witterung zu nehmen.

Den, dachte der Mann, vermochte wohl dieser Raum zu erstaunen; mit den Bücherwänden, der Balkendecke, dem weichen, mit einladend dicken

Teppichen ausgestatteten Fußboden. Eine Vermutung, die er dann auch seiner Frau anvertraute. »Dem scheint das zu gefallen!«

Doch Muckel trabte durch diesen Raum hindurch. Dem dahinter gelegenen Schlafzimmer entgegen. Und dort stürzte er sich hinein – fast begierig.

Und hier fand er das, wonach er wohl schon seit Tagen eifrig und beißbereit gesucht hatte: den zweiten Lederhausschuh des Mannes. Den entdeckte er unter dessen Bett, schnappte sich ihn, schleppte ihn unverzüglich ab. Aus dem Schlafzimmer hinaus, auf die Treppe zu.

Dort stürzte sich Muckel hinunter; wobei er sich mehrfach überschlug, gleich einer rollenden Kugel; ohne jedoch seine Lederbeute aus den Zähnen zu lassen. Besorgt-entsetzte Aufschreie der Frau erwiesen sich erfreulicherweise als unnötig. Denn unten angekommen, schüttelte sich Muckel kurz, um dann unbeirrt an seiner ledernen Beute zu mampfen – mit seinen blitzblank-weißen, frühzeitig starken Zähnen.

Auch diese prächtigen Zähne sollten ihm bis zu seinem Ende im biblischen Alter erhalten bleiben – in voller Funktion, mit glänzender Prächtigkeit. Selbst noch in hochbetagten Jahren wurde er oft für ein sehr junges Wesen gehalten – eben seiner herrlichen Beißwerkzeuge wegen.

Jetzt aber, als der Hund mit seiner Beute im unteren Korridor angekommen war, lief ihm die Frau entgegen; um schnell zu erkennen, daß alles in Ordnung war. Sicher hätte sie ihn nun gerne erleichtert umarmt; doch sie erkannte rechtzeitig, daß sie ihn dann in seiner freudig-entfesselten Genußbereitschaft nur gestört hätte. Für den war dieser eroberte Lederschuh ein triumphales Festessen.

»Na«, rief sie dem Mann auf den oberen Treppenstufen zu, »ist das nicht ein herrlicher Hund!«

»Den«, erwiderte er, von oben Muckel und seine Frau betrachtend, »vermag ich nun nicht gleich als herrlich zu empfinden; reichlich eigenwillig schon eher. Denn wieder einmal frage ich mich: Was ist da bloß, durch den, auf uns zugekommen?«

»Nichts, was dich irgendwie belasten sollte! Überlaß das, in jeder Hinsicht, getrost mir. Mir genügt es völlig, wenn du ihn als absolut zu uns gehörend akzeptierst – mit welchen Vorbehalten auch immer. Die räumen wir aus!«

In den nächsten Tagen und sogar Wochen schienen die beiden, Hund ebenso wie Mann, jede weitere Konfrontation vermeiden zu wollen. Und das offenbar planmäßig. Geschickt dirigiert von der Frau.

Es war jedoch nicht so, daß Hund und Mann einander ausgewichen wären; der eine womöglich ängstlich, der andere unwillig. Sie begegneten sich gegenseitig vielmehr mit ausgesuchter Höflichkeit. Wobei es sogar immer wieder Augenblicke gab, in denen sie einander zuzunicken schienen – wie um sich zu versichern: Nun ja, du bist nun mal auch hier; versuchen wir das Beste daraus zu machen.

Dementsprechend war dann auch ihre tägliche Begrüßung. Sobald der Mann erschien, trottete ihm Muckel gemessen entgegen. Dabei zeigte er sogar erkennbar Freundlichkeit – sein Stummelschwänzchen wedelte.

Muckel hatte, wie später zu registrieren war, kaum jemals in seinem Leben irgendeinen Menschen freudig angesprungen. Doch die wenigen, denen er diese große Geste seiner Herzlichkeit gönnte, erkannten, daß sie sich glücklich zu schätzen hatten. Zunächst jedoch produzierte dieser eigenwillige kleine Kerl sozusagen seine Begrüßungszeremonie Nummer eins: die lässig freundliche Begegnung. Erst etliche Jahre danach sollte er einer mindestens fünffach abgestuften Erweiterung und Erhöhung seiner Anteilnahme an Menschen, an ganz wenigen Menschen, fähig sein.

Jetzt stand er lediglich da, blickte zu dem Mann hoch. Worauf sich dieser zu ihm hinunterbeugte, seinen Kopf berührte, ihn kurz und behutsam streichelte. Um dann zu sagen: »Na – wie geht es dir denn so, mein Kleiner?«

Dem ging es gut. Was er dem Mann leider aber nicht mitteilen konnte, obwohl das nötig gewesen wäre; denn dessen Verständnis für ein Hundeleben war noch beklagenswert gering entwickelt. Und bevor sich das grundlegend ändern sollte, verging leider eine lange Zeit.

Nun gut, der Mann ging seinen Geschäften nach – möglichst gerne ungestört. Aber er duldete den Hund, was immerhin nicht wenig war. Die Frau jedoch lebte mit Muckel, lebte durch ihn auf; er wurde zu ihrem angenehmsten und freudig anteilnehmenden Begleiter.

Wo auch immer sie hinging – er folgte ihr. Wo sie dann auch angekommen sein mochten – er setzte oder legte sich zu ihren Füßen. Bestieg sie ihr Auto, hüpfte er, mit gekonnt elegantem Schwung, auf den Sitz neben sie.

Auf die Frau jedenfalls achtete Muckel; fast scharf wie ein Wächter. Und es wäre reichlich absurd, sie etwa ›Frauchen‹ zu nennen und den Mann entsprechend als ›Herrchen‹ zu bezeichnen. Alles war vielmehr ganz einfach: die Frau sorgte für ihn, er sorgte sich um sie.

Suchte diese Frau etwa irgendwo einen Waschraum auf, nahm sie ihn mit – wenn nicht, pflegte er sich postengleich vor die dazugehörende

Tür zu hocken. Begab sie sich in ein Café, in ein Geschäft, zu irgendeiner Besprechung – niemals ohne ihn. Alsbald war er wie ihr Schatten.

Und viele Jahre später sagte dann eine der wenigen, sorgfältig ausgesuchten Freundinnen dieser Frau: »Mein Gott, meine Liebe – wie lange kennen wir uns nun schon? Fast zehn Jahre! Doch dabei habe ich dich noch niemals ohne deinen herrlichen Hund gesehen.«

Worauf sie nach nur kurzem Zögern hinzufügte: »Ich kann es mir einfach nicht vorstellen, wie das sein könnte – wenn es den einmal nicht mehr für dich gibt.«

So was konnte sich damals, bei diesen ersten Anfängen einer höchst seltsamen Gemeinsamkeit, wohl niemand vorstellen. So waren die Kleinkindertage dieses Hundes fröhlich-unbekümmert, herzhaft-heiter, überaus umarmungsintensiv. So gut wie unproblematisch – was natürlich ein Fehlurteil war.

So war es auch, als sich die Frau von ihrem Mukkel zum Friseur begleiten ließ. Dort hockte er sich zu ihren Füßen nieder, endlos geduldig, zugleich auch wie immer erwartungsvoll; lautlos blickte er sie an. Jedoch nicht ohne die Bereitschaft, dabei irgendwelche Besonderheiten zu erspüren. Und die schienen sich ihm hier anzubieten.

Denn inzwischen wurden etliche Abfallprodukte der kosmetischen Bemühungen dieses Friseurs auf den Boden geworfen, dicht vor Muckels schnüffelnde Ledernase. Diese seltsamen Gebilde beroch er; zunächst zögernd, alsbald schnell interessiert – denn der Geruch war wohl dem der Frau nicht unähnlich. Freudig schnüffelte er auf.

Schließlich war dieses kleine, energievolle Kerlchen ein richtiger Mampfer, ein Insichhineinmampfer – von allem, was ihn irgendwie interessierte. Nicht nur an ledernen Hausschuhen nagte er, auch an Toilettentüchern, Teppichbordüren, Gardinenkanten, Holzverkleidungen, sogar an Büchern. So gut wie nichts ließ er aus.

Doch eben das war der Grund für die erste der großen Katastrophen seines Lebens.

Denn was diesem Muckel nunmehr hier zwischen die beißfreudigen Zähne geriet – das waren entleerte Tuben, nicht mehr für verwendungsfähig gehaltene Lockenwickler, sowie sonstige leere Behälter von Schönheitsmittelchen. Und alle diese Produkte waren aus Plastik.

Und Plastik bedeutete: so gut wie unzerstörbar; kaum zu verbrennen, selbst durch scharfe Säuren nur mühsam zu vernichten. Und so was begann nun dieser Hund – unbeobachtet, unter einem Schutzdach von Friseurtüchern – anzubeißen, zu benagen, in sich hineinzuwürgen.

Womit er sich, der erst richtig angefangen hatte, in dieser Welt zu leben, ahnungslos in höchste Lebensgefahr begab. Denn als Muckel und die Frau zu Hause angelangt waren, wurde er von heftigen Fieberanfällen geschüttelt. Alsbald wälzte er sich auf seinem weißwolligen Berberteppich im Schlafzimmer der Frau herum, schrie dabei fast wie ein Kind, bekam unendlich flehende Augen. Sein ganzer kleiner Körper zitterte.

»Er stirbt!« alarmierte die Frau ihren Mann.

Und der, obgleich mitten aus intensiver Arbeit gerissen, erkannte sofort, daß er hier jede sich ihm aufdrängende kritische Bemerkung zu unterlassen hatte. Etwa die Feststellung: »Auch das noch!« Oder den hausherrlich-überlegenen Vorwurf: »Hätte man da nicht besser aufpassen müssen?«

Sie brauchte auch nicht erst zu sagen: »Bitte – hilf uns!« Daß sie das verlangte, sah er ihr an. Also beeilte er sich, den Arzt der Tiere in Starnberg zu verständigen. Und der war sofort bereit, auch weit nach seinen sogenannten Sprechstunden, sich diesen fieberheißen, vor sich hinwinselnden Muckel anzusehen.

Der wurde also zu ihm gebracht. Die Frau hielt den in eine Decke gehüllt in ihren Armen. Und der Mann zögerte nicht, ganz gegen seine sonstigen Prinzipien, sich eine gar nicht wenig überhöhte Geschwindigkeit zu leisten.

Dann trug die Frau ihren nun unendlich klein wirkenden Hund zu dem Arzt der Tiere. Der Mann wartete indessen vor dem Haus – ohne jedes Anzeichen von Ungeduld, wie er selbst, über sich erstaunt, feststellen mußte. Doch mit erheblich steigender Unruhe. Stundenlang, wie er glaubte. Doch genau gesagt, kaum mehr als eine Stunde.

Dann kamen sie wieder! Seine Frau hielt ihren Muckel in den Armen. Sie wirkte leichenblaß, ungemein erschöpft, schien zu taumeln. Und der Hund sah aus wie ein lebloses, pechschwarzes Wollknäuel; ohne Atem, mit geschlossenen Augen. Auch roch er nun nicht mehr nach einem Hund, vielmehr nach Unmengen von Jod, Chloroform und sonstigen Betäubungsmitteln.

»Was ist mit ihm?« fragte der Mann ehrlich besorgt. Das natürlich nur ihretwegen; machte er sich vor.

»Unser Hund«, sagte sie sehr leise, »mußte operiert werden. Der Doktor hat ihn betäubt und ihm dann den Bauch aufgeschnitten – um an die Gedärme und den Magen heranzukommen. Die hat er entleert und dann alles wieder zugenäht. Er hat getan, was er konnte, sagte er. Und ich glaube, das stimmt. Doch es könnte sein, daß unser Muckel diesen Eingriff nicht überleben wird.«

Jetzt begann sie zu weinen. »Beruhige dich, bitte!« forderte er betont stark; er mochte nicht zugeben, daß nun auch er sich um diesen Muckel heftigste Sorgen machte. »Du wirst sehen – der übersteht sogar das! Der besitzt, glaube ich, ein überaus robustes Wesen; auch wenn man ihm das nicht gleich ansieht. Du solltest mit seinem wohl einzigartigen Lebenswillen rechnen! Von dem bin ich überzeugt.«

»Nur noch ein Wunder, hat der Arzt gesagt, kann unseren Muckel retten!«

»So was gibt es aber!« versicherte der Mann. Wobei er sich ziemlich kühn vorkam. Doch seine Frau, vermochte er zu erkennen, benötigte in diesen Stunden wohl jeden erdenklichen Zuspruch – und nur er war dafür zuständig. »Sei bitte ganz zuversichtlich!«

Dann schleppte sie, wohl äußerst sorgsam, doch mit schlaffen Bewegungen und mit tränenüberströmtem Gesicht, den jetzt völlig leblos wirkenden Muckel in ihr Schlafzimmer. Dort bettete sie ihn auf seinen Berberteppich. Sie selbst legte sich daneben.

Dieses Idyll – die hingebungsvolle Frau neben dem todkranken Hund – erschreckte den Mann, vermochte ihn aber zugleich auch unendlich zu rühren. Lange betrachtete er sie.

Dann stürzte er davon. Wie fluchtbereit. Um dabei zugleich zu wissen, daß er diesen Vorgängen nicht würde entkommen können.

Der Mann begab sich in seine oberen Räume. Und die begann er zu durchwandern; mal schneller, mal langsamer. Die Nacht wollte ihm ungewöhnlich dunkel erscheinen; seine Unruhe nahm ständig zu. Er versuchte herauszufinden, was ihn so überaus heftig bewegte.

Zunächst berührte es ihn wohl, daß dieser kleine, muntere Hund, der kaum zu leben begonnen hatte, nun bereits kurz vor seinem Ende sein sollte. Noch am Vormittag hatte er ihn mit freundlicher Höflichkeit begrüßt – doch nun lag er leblos da. So was durfte ganz einfach nicht wahr sein!

Dann aber bewegte ihn das ungewöhnlich intensive Miterleben seiner Frau. Nun ja, sagte er sich, die liebt diesen Hund eben; und es ist wohl immer ergreifend, einem Menschen zu begegnen, der solcher Gefühle fähig ist. Sie wollte, unbedingt, mit Muckel leben, das mußte man berücksichtigen.

Allmählich begann sich der Mann auch um seinen Seelen- und Hausfrieden zu sorgen. Er holte eine Flasche alten Cognac hervor, den er hinter seinen Lieblingsbüchern – den Werken von Graham Greene – verborgen hatte. Dieses edle Getränk war für ganz besondere, ungewöhnliche Ereignisse reserviert worden. Und das, was sich da in den unteren Räumen nun abspielte, war ganz gewiß eins.

Er leerte ein erstes Glas in kleinen Schlucken; um sich gleich ein zweites einzuschenken. Dabei sah er das Bild immer deutlicher vor sich; die Frau, die demnächst ein Kind erwartete, auf einem weißen Wollteppich liegend, einen schwarzfelligen, fast toten Hund in den Armen.

»Mein Gott«, dachte er, »wenn sie das so sehr will, wenn das ein wichtiger Teil ihres Lebens ist – dann schenke ihr diesen Hund!« Wobei er versucht war sich einzugestehen, daß auch er sich das nunmehr wünschte.

Bereits am nächsten Vormittag kam es dann zu einem geradezu phantastisch zu nennenden Ereignis, das gleichermaßen irritierend, wie beglückend war. Das geschah, als sich der Mann endlich dazu aufgerafft hatte, Muckel einen ersten, sozusagen offiziellen Krankenbesuch abzustatten.

Dabei fand er zunächst die Frau in deren Badezimmer vor. Sie wirkte unendlich müde, doch sehr ruhig; wie in ihr Schicksal ergeben. »Nun, wie geht es ihm denn?« wollte er wissen.

»Unser Muckel hat«, berichtete sie, dankbar für sein Interesse, »eine vergleichsweise ruhige Nacht verbracht. Dabei hat er schwer aber doch regelmäßig geatmet – wenn auch manchmal wie mit letzter Kraft. Er liegt auch jetzt noch ganz erschöpft da.«

Sie führte ihn in ihr Schlafzimmer, zu dem fast leblos daliegenden Muckel. Den betrachtete er mit Anteilnahme, die aber auch seiner Frau galt. Vergeblich suchte er nach Worten, die zu dieser Situation paßten. Sie hatte Verständnis dafür.

Während die beiden, nun gemeinsam Leidtragenden, noch auf diesen Hund hinunter blickten, begann ihr Muckel sie anzublinzeln und sich dann zu erheben. Er stemmte sich hoch, überaus mühsam, wie mit allerletzter Kraft, bis es ihm dann gelang, auf allen vier Beinen, die stark zu zittern schienen, dazustehen.

»Mein Gott!« rief die Frau ungläubig aus. »Er lebt!«

»Und wie der lebt!« bestätigte ihr Mann, unendlich erleichtert.

Denn Muckel begann sich nun vorwärts zu bewegen. Er schwankte taumelnd auf Frau und Mann zu, die ihn fasziniert anstarrten. Dabei drohte er in sich zusammenzusinken, raffte sich jedoch immer wieder entschlossen auf. Die an seinem Unterkörper verschwenderisch angebrachten Wattedrapierungen schleiften dabei auf dem Boden, was er jedoch nicht beachtete. Er schien allein sie zu sehen – die Frau.

Und zu ihren Füßen legte er sich dann nieder; unendlich erschöpft und dennoch zu ihr hoch blinzelnd. Sie kniete sich ihm entgegen, umarmte ihn. Er stieß seinen Kopf gegen ihre Hand – was eine rührend vertrauensvolle Wiederbegrüßungsgeste war. Doch dann war es, als blickte der Muckel-Hund nun auch den Mann an.

Auch der kniete sich jetzt zu ihm. Er berührte, wie bei allen ersten Tagesbegegnungen zwischen ihnen, Muckels Kopf – diesmal besonders sanft und behutsam. Und er sah, daß dieser Hund zu wedeln begann; wenn auch mühsam, so doch sehr deutlich.

»Das«, bekannte die Frau, »ist tatsächlich wie ein Wunder.«

»Das scheint mir fast auch so«, bestätigte der Mann.

»Einfach unglaublich!« versicherte dann auch, nur wenig später, der Arzt der Tiere. Er war über diesen, wohl einzigartigen Vorgang unverzüglich unterrichtet worden – und dann schnellstens herbeigeeilt. Denn so was wollte er mit eigenen Augen sehen!

Er untersuchte Muckel ausgiebig, maß dessen Temperatur, tastete den Körper ab, drapierte die Operationswunde erneut sorgfältig mit Watteformationen, betrachtete intensiv die Augen des Hundes, die Zunge, betastete die Muskelpartien. Muckel ließ sich das alles nachsichtig gefallen.

Worauf dieser gewiß erfahrene Arzt der Tiere, der den Ruf besaß, ein einzigartiger Diagnostiker zu sein, bekennen mußte: »So was habe ich noch niemals vorher erlebt! Aber bei diesem Hund habe ich das irgendwie erwartet. Bei keinem anderen Tier sonst – bei dem aber doch.«

Der Frau erschien diese Feststellung absolut selbstverständlich. Dem Mann jedoch nicht. »Warum«, fragte er den Arzt, »halten Sie dieses Tier für ungewöhnlich?«

»Das läßt sich leicht erklären«, sagte der. »Wenn Hunde zu Patienten werden, reagieren sie gewöhnlich wie Menschen: sie haben Angst! Sie machen sich, wenn ich das so lapidar sagen darf, vor Angst geradezu in die Hosen. Bei diesem Muckel jedoch war nichts dergleichen feststellbar. Der wollte nichts als leben! Und das hat er nun auch tatsächlich geschafft. Und zwar in einer verblüffend kurzen Zeit.«

»Wie schön«, sagte die Frau.

»Da kann ich nur zustimmen«, versicherte der Arzt. »Doch da sollten Sie wohl, beide, eins zur Kenntnis nehmen: ich bin noch niemals zuvor einem Tier von so großer Eigenwilligkeit begegnet. Mit dem könnten Sie, möglicherweise, noch recht seltsame Überraschungen erleben.«

3.
Auch ein Hundeleben kann voller Herrlichkeiten sein

In den nächsten Wochen, sogar Monaten nach jenen ersten dramatischen Ereignissen um diesen Hund, schien in ihrem Hause so gut wie alles normal, erfreulich selbstverständlich, absolut umkompliziert zu verlaufen.

Wohl durfte Muckel nach seiner ersten schweren Operation – einer von zahlreichen anderen, die nicht minder dramatisch verlaufen sollten – natürlich nicht gleich als völlig gesundet gelten. Zumal der Arzt der Tiere eine Entzündung, einen erneuten Durchbruch, und was sonst Bedrohliches noch, für nicht ausgeschlossen hielt. Deshalb wurde eine Art Fürsorgeprogramm für diesen Muckel-Hund entwickelt; von der Frau – die alsbald entschlossen darauf achtete, daß auch der Mann derartig notwendig erscheinende Anweisungen exakt einhielt.

Die wichtigsten Punkte dabei waren: eine leichte, doch herzhaft stärkende Nahrung; keinerlei heftige Bewegungen; Vermeidung unnötiger Strapazen, körperlicher und seelischer Art. Muckel wurde für ein betreuungswürdiges, zu umsorgendes Wesen gehalten. Das erspürte der natürlich bald und genoß es sehr. Was den Mann zu der bewundernden Bemerkung veranlaßte: »Dieses Kerlchen scheint ziemlich raffiniert zu sein.«

Eine Ansicht, die natürlich nicht unwidersprochen blieb: »Sage so was, bitte, nicht! Dieser kleine Kerl hat überaus Schweres durchmachen müssen. Darüber muß man ihm hinweghelfen.«

Die Frau schien entschlossen, ihren Hund nun nicht mehr aus den Augen zu lassen – das hieß:

kaum noch aus ihren Händen. Sie hatte sich, von ihrem Mann, eine vier Meter lange, wie schwebend leichte Nylonleine besorgen lassen – um damit ihrem Muckel eine wohl ziemlich weite, doch stets kontrollierbare Bewegungsfreiheit zu ermöglichen. Ein gleichzeitig von diesem Mann angelieferter Maulkorb, aus zierlichsten Lederriemen geflochten – »damit er keine Plastikmaterialien mehr fressen kann!« – wurde von ihr entschieden abgelehnt.

»So was ist ihm nicht zuzumuten!«

Das alles ließ Muckel gelassen, geradezu entgegenkommend freudig über sich ergehen. Sein erklärtes Verlangen nach gewisser Behaglichkeit gehörte wohl zu seinem Wesen. Er wollte sich anerkannt, gewürdigt, geliebt fühlen.

Das alles wurde ihm hier geboten, hatte der auch wohl instinktiv erkannt; jedenfalls verhielt er sich dementsprechend. So etwa pflegte er sich kindhaft zärtlich an die Frau zu schmiegen; doch ohne das geringste Anzeichen von Besitzergreifung. Jetzt nahmen aber auch seine täglichen Begrüßungen dem Mann gegenüber an Herzlichkeit erheblich zu.

Dem begegnete er nun nicht mehr mit vorsichtiger Scheu – vielmehr eilte er ihm unverzüglich, freudig wedelnd, entgegen. Um ihm dann, ohne ihn zu berühren, seinen Kopf entgegenzustrecken, um sich streicheln zu lassen; was inzwischen auch mit zunehmender Zärtlichkeit geschah.

Muckel war sich eben seiner Sache, seiner Person, seiner Bedeutung in diesem Hause ziemlich sicher. Daraus entwickelte sich dann wohl auch seine einzigartige Toleranz. Und die hat ihm vieles erleichtert.

Als etwa bald danach das Kind in diesem Haus erschien, ein Mädchen, wie es sich der Mann heimlich gewünscht hatte – beschnupperte Muckel den neuen Hausgenossen interessiert; völlig frei von jeder Eifersucht. So was, so schien er demonstrieren zu wollen, mußte wohl hingenommen werden. Eine Gefährdung seiner ganz besonderen Position in diesem Hauswesen, erkannte er, ergab sich daraus nicht. Da war er sicher.

Er entwickelte Großzügigkeit. So schien er auch den Versuch des Mannes, ihm einen Maulkorb zu verpassen, nachsichtig zu verzeihen. Zumal der sich bemüht hatte, sich etwas besonders Erfreuliches auszudenken: Er brachte ihm Kauknochen mit!

Mit diesen, angeblich aus Büffelleder gefertigten Beißwerkzeugtrainingsapparaten, die Muckel sehr gut zu schmecken schienen, sollte er fortan aufmerksam, wenn nicht gar verschwenderisch versorgt werden. Dabei bevorzugte er möglichst dünne, blätterteigartig gerollte Exemplare, die dann zum Abschluß voll verspeist werden konnten. Muckels Anerkennungsblicke für derartige Gaben wollten dem Mann alsbald nicht unwichtig erscheinen.

Falls damit jedoch der Versuch gemacht werden sollte, Muckel von allen anderen, sich eben Hunden hier und da anbietenden Beißobjekten abzulenken, war das wohl falsch, also eben sehr menschlich gedacht. Denn ganz selbstverständlich ließ sich auch ein Muckel nicht einfach durch irgendwelche Ersatzhandlungen abspeisen. Gleich die nächsten Tage sollten das beweisen.

Wie immer bei diesem Muckel begann auch diesmal alles ganz harmlos. Er war überaus anhänglich, sanft, nahezu bereitwillig brav. Wobei er hausfreundlich vor sich blinzelte. Was die ihn betreuenden Menschen dazu brachte, ihn sogar von seinen langen Leinen zu befreien.

Er reagierte überaus dankbar. Etliche Tage lang hielt er sich nur im Haus auf. Und dort wechselte er zwischen den unteren und den oberen Räumen einher. Bald wurde klar, daß er herauszufinden versuchte, ob seine Familie – Frau, Mann und Kind – vollständig um ihn versammelt war.

Dieses Verlangen, möglichst alle Wesen, die zu seinem Dasein gehörten, vollzählig um sich zu haben, wurde immer stärker. Erst dann, wenn alle da waren, wirkte er wirklich zufrieden. Dann streckte er sich aus – möglichst nahe bei ihnen; ebenso lang wie breit und mit befriedigtem Schnaufen.

Doch so wichtig dieses Gefühl der Zufriedenheit für diesen Hund auch sein mochte – alles war es eben nicht. Darüber hinaus legte er Wert auf ein Eigenleben in verblüffend zahlreichen Variationen. Eine davon gedachte er dieser Familie alsbald vorzuführen. Zunächst schob sich Muckel vom Haus zur Terrasse hin, um sich dann dort, auf wärmespeicherndem Zement, wohlig herumzuwälzen. Dabei schien er jeden auf ihn fallenden Sonnenstrahl zu genießen. Die Frau betrachtete ihn glücklich lächelnd.

Sodann begann dieser Muckel den erfreulich großen Garten zu erforschen – überaus vorsichtig; mit behutsamen, Meter um Meter sich vorwärts tastenden Schritten. »Dem gefällt es hier offenbar!« berichtete die Frau ihrem Mann ahnungslos. »Dessen Neugier kann man wohl als geradezu grenzenlos bezeichnen. Der will ganz genau wissen, was da so alles zu seiner Welt gehört.«

Dessen Neugier war tatsächlich groß. Sie erstreckte sich auf Bereiche, an die diese seine Menschen nicht einmal zu denken vermochten. Denn dieser Muckel näherte sich nun, wie nach intensiver Forscherarbeit, den Grenzen ihres, seines Besitzes.

Was praktisch hieß: er war nunmehr am nördlichen Zaun angelangt.

Und dort starrte er, höchst interessiert, durch den dichten Maschendraht, in weitere, verlockende Hundewelten hinein. Wozu auch höchst merkwürdige, ihn ungemein aufregende Lebewesen gehörten.

Bei denen handelte es sich um zweibeinig einherstelzende ständig Nahrung aufnehmende, überaus nervös wirkende Geschöpfe. Die stießen glukkernde Schrilltöne aus. Waren also Hühner! Und die erregten bei Muckel irgendein wohl sehr heftiges Verlangen, das unbedingt befriedigt sein wollte.

Muckel machte sich also emsig an die Arbeit: er schaufelte sich ein Loch unter dem Zaun mit einer Kraftentfaltung, die bei ihm noch oftmals in Erscheinung treten sollte. Denn sobald er zu irgendeiner Eroberung entschlossen war, vermochte ihn nichts und niemand daran zu hindern.

Muckel brauchte vermutlich etliche Tage, um sich der Hühnerwelt entgegenzuwühlen; wobei es ihm gelang, sich überaus geschickt jeder Beobachtung zu entziehen. Als ihm dieses Täuschungsmanöver endlich ganz gelungen war, stürzte er sich auf das Nachbargrundstück, den dort versammelten Hühnern entgegen und sprang auf sie zu!

Deren Geschrei hörte sich entsetzlich an; laut, panikartig, alarmierend. Die Hühner erkannten eben nicht, was dieser Hund wirklich mit ihnen beabsichtigte. Der wollte nichts als mit ihnen spielen.

Sowas mag sich reichlich komisch anhören, traf jedoch zu. Und genau das erwies sich in den nächsten Muckel-Jahren immer wieder: dieser Hund gefiel sich, zumal in seinem sehr jungen Leben, als unbekümmert fröhlicher Aufscheucher, niemals jedoch als beißbereiter Vernichter. Doch das konnte damals noch niemand wissen; weder die Frau noch der Mann. Und der dabei alarmiert aufgeschreckte Hühnerhofnachbar schon gar nicht.

Der stürzte empört herbei, eilte vernichtungsbereit auf den Einbrecherhund zu; bedachte ihn mit den denkbar scheußlichsten Wortgebilden. Er versuchte sogar, kräftig nach diesem ihn provozierenden Tier zu treten. Wobei er jedoch erheblich aus dem Gleichgewicht kam, sogar drohte, zwischen seine aufgeregten Hühner zu fallen. Muckel war eben sehr wendig.

Der sauste davon! Durch das von ihm gegrabene Loch unter dem Zaun hindurch. Dahinter blieb er dann – in Sicherheit – freudig schnaufend stehen. Muckel konnte eben scharf beobachten.

Wobei dieser Hühnerhofnachbar empört aufbrüllte, lautstark und weithin vernehmbar: »Falls dieser Kretin so was noch einmal versuchen sollte – knalle ich ihn ab! Mit meiner Schrotflinte. Das überlebt der garantiert nicht!«

Das mußte die Frau hören. Darüber berichtete sie dem Mann. »Dagegen mußt du unbedingt etwas unternehmen!«

»Auch das noch!« sagte der. Wobei es ihm nur mühsam gelang, seinen Unwillen zu verbergen. Abermals enthielt er sich der Bemerkung, man hätte da wohl besser auf dieses Tier aufpassen sollen.

Wobei er zu Muckel hinblickte. Doch der lagerte, freundlich blinzelnd, mitten auf dem Teppichmittelornament. Das schien sein von ihm erwählter Stammplatz zu sein. Von dort aus blinzelte er irritierend friedfertig, möglicherweise sogar sehr zufrieden, den Mann an.

Der Mann hatte nun wohl keine andere Wahl, als bei seinem nördlichen Nachbarn um Verständnis zu bitten. Doch da prallte er sozusagen gegen eine

Betonwand: »Versuchen Sie nicht, auf mich einzuschwatzen – irgendeines herumwildernden Scheißköters wegen!«

Sie hatten sich noch nie vorher näher betrachtet, es einfach nicht für nötig gehalten. Schließlich war eines der Grundprinzipien des Mannes: leben und leben lassen – nicht stören, um nicht gestört zu werden. Was er hier nun, in seiner unmittelbaren Nähe erblickte, war ein Besitzverteidigungsmensch, wie er im Buche steht.

»Aber ich bitte Sie, verehrter Herr«, begann der Mann nachbarschaftsfreundlich. »Sie brauchen sich doch nur diesen kleinen Hund ein wenig näher anzusehen – das ist wahrlich kein Tier, das herumwildert, wie Sie bereitwillig vermuten.«

»Da kennen Sie aber diese Köter schlecht! Da haben Sie offenbar geglaubt, sich ein angenehmes Hundehaustier heranzüchten zu können. Doch diese wildversessenen Scheißhunde, sie alle, so klein sie auch sein mögen, sind nichts wie Wilderer. Die sind dazu geboren, einfach alles anzufallen, zu zerreißen, zu zerfetzen, was schwächer und weniger bewegungsfähig ist als sie. Und auf Hühner haben die es ganz besonders abgesehen.«

Noch einmal versuchte der Mann, mit sehr viel Ausdauer und freundlichen Worten, derartige Bedenken, wohl mehr Vorurteile, zu zerstreuen. Völlig vergeblich. Dieser Nachbar pochte auf sein gutes Recht. Das wurde ihm zugesichert, fast feierlich. Dann erfolgte noch einmal die Bitte um Verständnis. Völlig vergeblich.

»Noch so ein Angriff auf meine Hühner – und es knallt!«

Der Mann versprach, den Zaun zwischen ihren Grundstücken zu befestigen. Er versicherte sogar, vollen Schadenersatz leisten zu wollen, falls tatsächlich dabei irgendwelche Verluste eintreten sollten; was er sich jedoch kaum vorzustellen vermöge. Und wieder bat er – allein wohl seiner Frau zuliebe – um nachbarliche Nachsicht.

»Wenn dieses Ungeheuer hier noch einmal einbricht«, versicherte der nördliche Zaunanwohner unnachsichtig, »wird unverzüglich scharf geschossen! Sie sind also gewarnt!«

Diese eindeutige, völlig unmißverständliche Warnung überbrachte der Mann seiner Frau.

Die umarmte ihren Muckel beschützend, woran der offensichtlich Gefallen fand. Er schmiegte sich nahezu genüßlich an sie; wobei er den Mann betrachtete, mit großen, neugierigen Augen.

Worauf der Maßnahmen vorschlug, die seiner Ansicht nach geeignet waren, dieses Hundedasein und den Hausfrieden zugleich zu bewahren. Erstens – Muckel müsse sich nun weitere intensive Beschützungsversuche gefallen lassen; was bedeutete: keine unkontrollierten Ausflüge ins Freie mehr! Zweitens – er selbst gedenke eigenhändig für die Abdichtung des nördlichen Zaunes zu sorgen; also mußte das dazu gehörende Material, wie Draht, Ziegel und Zement, bestellt werden. Drittens – sie, seine Frau, werde gebeten, diesen ihren Muckel fortan zielstrebig erzieherisch zu betreuen.

Was darunter zu verstehen war, sagte er nicht. Und seine Frau wünschte auch keine diesbezügliche Einzelheit zu wissen. Denn in einem, in dem wohl wichtigsten Punkt, waren sie sich einig: Muckel war kein Hund im gewöhnlichen Sinne – er war ihr Hausgenosse, wenn nicht gar ein Familienmitglied, ein vollwertiges. Ohne jede Abrichtung, ohne den geringsten Versuch, bei dem hündische Eigenschaften zu entwickeln. Was sich später, für diesen Mann, als überaus beglückend erweisen sollte.

Jedenfalls wurde diesem Muckel niemals zielstrebig das beigebracht, was Hunde gemeinhin zu können haben. Der wußte also nie was *Platz* oder *Kusch* oder gar *Mach schön* zu bedeuten hatte. Und wenn der *wedelte* – dann gewiß in keinem Fall als Ergebenheitsbezeugung; und schon gar nicht aus besorgter Existenzangst. So was war und blieb allein ein Zeichen seiner sehr persönlichen Anteilnahme – die er wahrlich nicht jedem zeigte.

Nunmehr jedoch schienen alle Vorschläge des Mannes, erdacht zum Wohle des Hundes, und damit auch zu dem der Frau, unverzüglich akzeptiert zu werden. Also wurde eine noch weit längere leichte Nylonleine angeschafft. Und wohlberechnet wurde Muckel zusätzlich mit erlesenen Kauknochen versorgt. Auch ausgedehnte Spaziergänge mit Frau oder Mann sollten ihn planmäßig ablenken.

Nahezu zwei Wochen lang sah auch alles ganz erfreulich aus. Der Hund war von williger Hausfreundlichkeit; er schien sogar die Hühner des Nachbarn vergessen zu haben.

Doch dann kam ein Morgen, der hier wie jeder begann. Der Mann öffnete die Türen des Hauses weit, um dann, wie immer, durch seinen Garten zu gehen. Bis hin zu den Blumenbeeten, den Zierbüschen, den alten Bäumen, dem kleinen Bach und dem Teich.

Am liebsten war es ihm, wenn ihn bei diesen Gängen seine Frau begleitete, möglichst mit ihrem munteren Mädchenkind im Arm. Wobei dann noch Muckel ihnen voraustrabte; an der langen Leine, aber überaus gemütlich. Mit Vorliebe ließen sie sich auf der südlichen Bank nieder, um dort längere Zeit zu verweilen, – still und glücklich. Der Hund zu ihren Füßen.

An einem Morgen dieser Tage wurde nun diese familiäre Idylle gestört; geradezu brutal zerstört.

Wilde Tierschreie ertönten – Schreie von Hühnern, wie sich herausstellen sollte; dazu freudig enthemmtes Hundegebell. Gleichzeitig aber mußten sie scharfprasselnde Schrotflintenschüsse vernehmen. Frau und Mann starrten besorgt-alarmiert zu ihren Füßen – also dorthin, wo gewöhnlich Muckel lag.

Doch dort erblickten sie lediglich den Rest seiner Nylonleine. Die hatte er zernagt. Dicht in der Nähe seines Halsbandes.

Sie rannten voller Panik, ohne sich erst noch verständigen zu müssen, ihr Mädchenkind mit sich tragend, auf den nördlichen Zaun zu. Dort mußten sie zunächst einen triumphierenden Schrotflintenmenschen erblicken. »Ich habe sie gewarnt!« Er rief die Worte wie einen Kriegsschrei aus.

Sie kümmerten sich nicht um ihn. Der hatte, bei diesem seinem Abwehrkampf, versehentlich – doch das war ihm wohl *dieser Spaß, diese Lehre,* wert – gleich auch drei seiner Hühner erledigt. Doch dabei war es ihm schließlich auch gelungen, diesem hinterhältigen Eindringling in seinen Zuchtbereich eine Ladung Schrot zu verpassen. Und das war die Hauptsache.

Muckel verließ, sich dahinschleppend, vorsichtig ein Gebüsch in Zaunnähe, in dem er vermutlich ersten Unterschlupf gesucht hatte. Von dort aus humpelte er auf Frau und Mann zu. Doch bei ihnen blieb er nicht stehen; vielmehr flüchtete er, mit leicht miefenden Tönen, in das Haus hinein. Als wäre er erst dort in völliger Sicherheit.

»Hast du das gesehen?« rief die Frau besorgt. »Der schleppt eines seiner Hinterbeine nach. Er ist verwundet!«

Sie eilten ihm nach.

Sie fanden dann den blutenden Muckel, der sich offenbar bemühte, lediglich verhalten vor sich hin zu winseln, mitten auf seinem Teppichornament. Er wurde in jene weiße Wolldecke gehüllt, die seit seinem ersten Unfall stets für ihn bereitgelegen hatte. Abermals wurde er zum Arzt der Tiere in Starnberg transportiert – von der Frau getragen, von dem Mann geleitet.

Der nahm diesen Hund, dessen Lebensretter er noch mehrmals werden sollte, geradezu interessiert auf. Der war für ihn, inzwischen, zu einem überaus vertrauten Wesen geworden. Und auch dieses kleine Kerlchen hatte wohl schon sehr früh ein überaus besonderes Vertrauensverhältnis zu diesem Arzt entwickelt.

Dabei ging so eine Konsultation nie mehr ohne Komplikationen ab. Denn sobald sich Muckel in die Nähe dieses Tiermediziners begab, begeben mußte; oder besser noch hingeschleppt wurde, begann er im Vorzimmer angstvoll besorgt zu zittern. Wie das wohl alle Patienten dort tun – ob es sich um eigenwillige, doch überaus zähe Katzen oder riesige Bernhardiner handelt.

Doch sobald Muckel auf den Untersuchungs- und Operationstisch kam, stand er steif und lautlos da. Dann winselte und zitterte er nicht mehr; kein Aufwimmern oder Angstgejaule war hier jemals von ihm zu hören gewesen. »Der ist so unerhört tapfer!« stellte dann seine Frau fest – leider ziemlich oft.

Wurde etwa eine Spritze in Muckels Hinterteil hineingerammt, ob nun vorbeugend oder schmerzlindernd, wendete der Hund seinen Kopf empört seinem Peiniger zu, wobei er ein, zwei rauhe, warnende gedämpfte Belltöne ausstieß. Die sich anhörten wie: »Na, na!«

Ein wahrlich nicht ganz gewöhnlicher Hund. Das wurde nicht nur von seinen nächsten Mitmenschen bereitwillig anerkannt – auch der Arzt der

Tiere war alsbald dieser Ansicht. Nicht ganz ohne besorgte Bewunderung.

In diesem Fall fühlte er sich veranlaßt, Muckel nach allen Regeln seiner Kunst zu untersuchen; mit allen ihm zur Verfügung stehenden Instrumenten. Er durchleuchtete ihn, maß seine Temperatur, analysierte sein Blut, betastete ihn vom Kopf bis zu den Füßen, was die, ihren Hund besorgt begleitende Frau, dankbar anerkannte.

Denn schließlich, und das allein war wesentlich, handelte es sich um ihren Hund! Für den stets da zu sein, war sie bereit. Den schleppte sie zu seinen Ärzten, an dessen Krankenlager wachte sie allein. Und von ihr – allein von ihr – erhielt er sein Leben lang zu essen und zu trinken.

Was dabei noch für den Mann übrigblieb? Das allerdings fragte der sich zunächst auch manchmal. Wohl brachte er diesem Muckel Kauknochen mit; ging gelegentlich mit ihm spazieren, versorgte ihn zu festlichen Anlässen mit besonderen Leckerbissen. Doch das schien auch schon alles zu sein – mithin wohl nichts als eine Unmenge vergeudeter Zeit.

Bis es dann Muckel gelang, selbst diesem Mann klarzumachen, was sich alles aus ihrem überaus angespannten Anfangsverhältnis ergeben könnte. Etwas geradezu Wunderbares!

Zunächst jedoch, hier in der Praxis, wirkte der Hund winzig klein. Und als ihn der Arzt der Tiere untersuchte, speziell sein linkes Hinterbein, schien er sich noch weit kleiner zu machen.

»Das ist wohl nicht sonderlich schlimm«, stellte dann der Arzt der besorgten Frau gegenüber fest. »Jedenfalls ist nichts Schlimmes bei diesem lebensentschlossenen Tier erkennbar. In seinem linken Hinterbein befinden sich einige Schrotkugeln, die wahrscheinlich auch einen Knochen beschädigt haben. Die Verletzungen müssen wohl sehr schmerzhaft sein. Doch ein Muckel, eigenwillig wie der ist, scheint das nicht zugeben zu wollen. Ich muß versuchen, diese Schrotkugeln herauszuoperieren. Wobei ich allerdings wohl nicht umhinkomme, ihn zu betäuben.«

»So ein Eingriff, Herr Doktor – könnte der möglicherweise lebensgefährlich sein?«

»An sich, verehrte gnädige Frau, ist so was niemals ganz ungefährlich. Aber nicht unbedingt bei diesem prächtigen Tier. Zumal dann nicht, wenn ich das mache.« Vermutlich hatte der Arzt der Tiere inzwischen erkannt, daß dieser Hund nicht nur eine für ihn stets fließende Verdienstquelle war, sondern weit mehr. Der vermochte selbst ihn zu beeindrucken. Der forderte sein Können heraus!

»Wir werden nun also das linke Hinterbein Ihres Muckel operieren, dann schienen und vielleicht auch in Gips legen. Ich werde tun, was ich kann. Und was auch immer ich vermag – für den tue ich das sogar besonders gern.«

»Mein Gott – wird er jemals wieder richtig laufen können?«

»Das glaube ich garantieren zu können. In ein paar Wochen – höchstens drei bis vier – kann unser Muckel wieder voll in Aktion treten.«

Das sollte dann auch zutreffen. Doch bevor es so weit war, versuchte der Mann, von seiner Frau nachdrücklich angeregt, gewisse Positionen klarzustellen.

Er suchte also den zuständigen Polizeibeamten auf. Und der bemühte sich um nachsichtige Geduld. Denn so gut wie alle Zeitgenossen, glaubte er erkannt zu haben, waren erklärte Rechthaber. Er jedoch, wollte nichts als ein Vertreter der Gerechtigkeit sein.

Und als solcher registrierte er, durchaus um Verständnis bemüht: »Da haben Sie also einen Hund. Und der ist angeschossen worden. Das geschah auf dem Grundstück Ihres Nachbarn, in das der Hund eingedrungen ist.«

»Wohin der sich begeben hat! Doch muß man deshalb gleich schießen?«

»Muß man nicht – doch man kann! Denn nach den bestehenden Gesetzen ist so ein Mensch in seinem unmittelbaren Bereich jederzeit dazu berechtigt.«

»Berechtigt also dazu, Lebewesen einfach abzuknallen?«

»Erlauben Sie mir, bitte, Sie dabei auf folgenden Tatbestand aufmerksam zu machen: so ein Tier ist, nach den bestehenden Gesetzen, keinesfalls ein erklärt schutzberechtigtes Lebewesen, etwa im menschlichen Sinne – vielmehr nichts wie eine Art Sache. Über die jederzeit verfügt werden kann – von seinem Besitzer. Aber auch von jenen, in deren Besitz es unaufgefordert eingedrungen ist.«

»Wenn das tatsächlich so sein sollte, so und nicht anders – dann stimmen eben diese Gesetze nicht!«

»Das kann durchaus sein. Doch das habe ich nicht zu beurteilen; und schon gar nicht zu verurteilen. Gesetze können geändert werden. Sobald das der Fall sein sollte, werden wir uns danach richten. Bis dahin jedoch haben wir uns mit den hier nun einmal bestehenden Bestimmungen abzufinden. Das einzusehen, muß ich Ihnen raten.«

»Dabei kommt es doch gar nicht auf mich an, Herr Polizeibeamter. Sie kennen meine Frau nicht – und schon gar nicht unseren Hund. Denn sonst würden Sie vermutlich ziemlich genau verstehen, was ich von Ihnen erwarte.«

»Das will ich aber gar nicht; muß ich wohl auch nicht«, erklärte der Polizist freundlich ablehnend.

»Denn wo, verehrter Herr, kämen wir denn da hin, wenn wir uns hier auch noch um komische Hunde kümmern müßten? Wir haben hier mit Verbrechen jeder erdenklichen Spielart mehr als genug zu tun.«

»Aber auch Tiertötungen könnten dazugehören!«

»Nicht unbedingt. Denn die Tötung von Tieren wird bei uns tagtäglich registriert. Nicht nur die von Katzen, die auf den Straßen unseres Fortschrittes zu Brei gefahren werden; auch Zierkäfigvögel, Stubenhamster und Hauskaninchen verenden oft schrecklich. Und dann auch Hunde.«

»Was Sie lediglich zur Kenntnis nehmen.«

»Was denn, ich bitte Sie, sonst? Von Hunden hören wir unheimlich oft – von verhungerten, zu Tode gequälten, in Wäldern und U-Bahn-Stationen ausgesetzten, angebundenen, dem Zufall überlassenen Geschöpfen. Die meisten Fälle dieser Art registrieren wir während der Urlaubszeit, während sich die sogenannten Besitzer in Italien oder sonstwo amüsieren.«

»Und das, meinen Sie, muß einfach hingenommen werden?«

»Müssen denn, könnte ich die Gegenfrage stellen, diese Schlachthöfe sein – in denen nicht nur enorme Mengen von Rindviechern regelmäßig verenden, sondern auch Schafe und Lämmer und Schweine. Und das alles nur, könnte man sagen, um freßbegierige Bäuche zu füllen. Was ist denn, damit verglichen, irgendein kleiner Hund?«

Doch wenn sich das auch noch so überzeugend anhörte, der Mann war nicht bereit, es ergeben hinzunehmen, jetzt nicht mehr. Er meinte auch, das sei er seiner Frau schuldig und ihrem Hund. Zu denen begab er sich nun.

Die fand er, vereint nebeneinanderliegend, auf dem Teppich im großen Raum vor. In unmittelbarer Nähe von ihnen, und absolut dazugehörend, hockte das Kind, seine Tochter, mit einer strapazierfähigen Stoffpuppe beschäftigt. Ein Bild, das ihn wieder fröhlich stimmte.

Das Kind stieß freudige Laute aus. Die Frau blickte ihn prüfend und erwartungsvoll an, das tat sie neuerdings oft. Und Muckel erhob sich von seinem weißwolligen Krankenlager und bewegte sich auf den Mann zu. Und das unter Mißachtung seines geschienten, in Gips gelegten linken Hinterbeins. Er hüpfte einfach auf drei Beinen, und das sehr graziös.

Vor dem Mann blieb er stehen, wedelnd, mit diesmal weit hochgerecktem Kopf, als wünsche er, besonders intensiv gestreichelt zu werden. Natürlich erfüllte der Mann diesen Wunsch.

»Ist unser Muckel nicht wunderbar?« fragte die Frau beglückt.

»Der«, glaubte der Mann bestätigen zu müssen, »ist mir geradezu unheimlich! Er scheint ein richtiges Stehaufmännchen zu sein. Es gibt einfach nichts, was den umbringen kann.« Womit er den Hund ihr, überaus sanft, zuschob.

Dann erklärte er, bemüht ernsthaft: »Er ist eindeutig gefährdet. So gut wie allem und jedem ausgeliefert.«

»Der wird das alles überstehen!« versicherte sie überzeugt.

»Mit unserer Hilfe – meinst du? An mir soll es nicht liegen! Doch wir dürfen ihn nun nicht mehr aus den Augen lassen; er darf fortan keinen Schritt mehr ohne uns tun; er muß stets an die Leine. Denn offenbar vermag der, wie magisch, Komplikationen an sich zu ziehen!«

Was die Frau nicht zu bezweifeln schien. Sie gab jedoch, wohl vorbeugend, zu bedenken: »Der macht dir eine Menge Mühe, nicht wahr? Und dagegen sperrst du dich – immer noch! Du kannst ihn eben nicht so lieben – wie ich.«

»Was du auch immer darunter verstehen solltest – so was ist schließlich wohl relativ. Doch ich muß gestehen, daß mich dieser Hund keinesfalls gleichgültig läßt, schon deinetwegen nicht. Doch immerhin – ich bin besorgt.«

»Um dein geruhsames, ausgeglichenes Dasein?«

»So ungefähr. Ich sehe nämlich eine ganze Menge Bedrohungen auf ihn, und damit auch auf uns zukommen.«

»Aber ich bitte dich! Diese Welt ist schließlich nicht voller Schrotflintenmenschen.«

»Aber es gibt Autos, vergiftete Gewässer, und überhaupt lauern überall Gefahren. Und dein Mukkel ist offenbar ein äußerst neugieriges und unternehmungsfreudiges Wesen – mit dem wirst du noch einiges erleben.«

»Wir«, sagte sie unmißverständlich, »wir werden ihn schon beschützen.«

»Es wird doch aber bereits auf ihn gelauert. Denk doch nur an den riesigen, kräftigen Schäferhund beim See, von dem ich dir erzählt habe. Ein Urwesen von einem Tier! Und das scheint wie versessen darauf, sich mit seinen prächtigen Zähnen in deinen Muckel zu verbeißen.«

»Nun übertreibst du aber«, meinte sie überzeugt, »Hunde kommen gewöhnlich recht gut miteinander aus. Und unser Muckel ist sehr verträglich. Außerdem ist er klug und geschickt genug, sich richtig zu benehmen. Laß so was wie diesen Schäferhund also seine Sorge sein.«

Diesem mächtigen Schäferhund auszuweichen, war jedoch kaum möglich. Es sei denn, man wäre bereit gewesen, auf einen der schönsten Spaziergänge in diesem Dorf zu verzichten: an der nahen

Bahnstation vorbei, durch eine geruhsame, gepflegte Häuserkolonie, zum Seeuferweg. Da war man meist wohltuend allein, jedenfalls an Wochentagen. Auch Muckel schien diese Promenade zu bevorzugen.

Dort trabte er munter dahin – durch eine lange, ihm viel Bewegungsfreiheit lassende Leine mit dem Mann verbunden. Freudig schnüffelte er an allen Ecken, um dann hier und da ein Bein zu heben, meist, wie schon berichtet, das rechte. Das stellte der dann fast kerzengerade nach oben, um seine Duftmarkierung anbringen zu können.

Ein Vorgang, der zumeist kaum mehr als eine Geste war. Einige wenige hundeferne Menschen betrachteten so was nicht ohne Widerwillen. Gelegentliche Drohgebärden übersah Muckel einfach.

Ein wesentlich größeres Erlebnis kam immer dann auf ihn zu, wenn er das sogenannte *Schloß am See* erreicht hatte. Das war ein ziemlich verwahrloster, doch wohl eben deshalb als malerisch zu bezeichnender Steinkasten, abgeschirmt, zur Gehwegseite hin, von einer etwa ein Meter hohen Mauer, die mit einem Zaun aus massiven Metallgebilden bestückt war, dazwischen rankte Efeu.

Hier lebte dieser enorme Schäferhund, der im Vergleich mit Muckel durchaus als gigantisch zu bezeichnen war. Und er schien verteidigungsbesessen zu sein, denn er machte mit bedrohlich mächtiger Lautstärke auf sich aufmerksam. Dabei raste er mit kraftvoll akrobatischen Sprüngen am Zaun entlang. Er wurde, angemessen, *Herkules* gerufen.

»Nichts wie vorbei an dem!« pflegte der Mann dem scheinbar ahnungslos dahintrottenden Mukkel zuzurufen.

Zumeist ließ der sich auch zu hier gewiß wohl notwendiger Eile antreiben. Doch manchmal blinzelte er zu Herkules hoch, hob sein rechtes Hinterbein und bemühte sich, diesmal offenbar sehr angestrengt, um wirksame Geruchszeichengebung. Dann erst trabte er weiter.

»Was war denn das, mein Hund?« fragte der Mann mit steigender Besorgnis. »Solltest du etwa versuchen, den herauszufordern? Ausgerechnet den!«

Dieser Pudel war ein Provokateur! Und diese Erkenntnis wurde immer wieder bestätigt. Denn sobald sie an dem großen Hund vorübergingen, schien das gleiche Schauspiel veranstaltet zu werden: der kleine Hund forderte den großen heraus!

»Der ist eben«, meinte die Frau dazu, »ein tapferes Kerlchen. Den kann niemand erschrecken.«

»Genauer: der scheint vor einfach nichts zurückzuschrecken! Und das ist es, was ich befürchtet habe – von Anfang an.«

4.
Die gefährlichen Freuden der erstrebten Freiheit

Daß es sich bei diesem Hund um einen besitzergreifend neugierigen Ausreißer handelte, war seinen Menschen nicht einmal nach Muckels lebensgefährlichen Hühnerhofheimsuchungen so ganz klar geworden. Zumal er in den Wochen danach ja auch durch sein eingegipstes Hinterbein stark daran gehindert war, die von ihm ersehnten großen Sprünge zu machen.

So konnte man mal wieder sagen, daß jemand seine Not in eine Art Tugend verwandelte. Der vorübergehend laufbehinderte Muckel ergab sich in sein Schicksal, sanft, anschmiegsam, fast kindlich vertrauensvoll. Der war nur darauf aus, sich zunächst einmal, mit erkennbarer Wonne, betreuen zu lassen – meinte der Mann.

Und dann sagte die Frau eines schönen Tages, eines wohl besonders schönen für diesen Hund: »Wir haben doch einen großen Garten – wenigstens in dem sollte sich unser Muckel frei bewegen können.«

»Aber nicht ohne Absicherungen!« stimmte der Mann nicht ganz bedenkenlos zu.

Er beauftragte eine Baufirma damit, den Zaun *stabil und absolut dicht* zu machen: oben Stacheldraht, unten mit Erde und Zement befestigt. Kaum noch von Maulwürfen zu unterwühlen, wurde behauptet – was selbstverständlich ein Irrtum war; denn die schafften das so gut wie mühelos. Womit sie Muckel sozusagen in die Pfoten arbeiteten.

Dennoch erschien zunächst so gut wie alles zufriedenstellend. Muckel mied die nördliche

Grenze dieses Grundstückes, hinter der der Schrotflintenmensch lauerte; und die teilweise bekieste, streckenweise asphaltierte Nebenstraße im Osten war auch kein erkennbarer Anziehungspunkt für ihn. Im Westen jedoch wohnten gleich zwei weitere Nachbarn, die durchaus auch für Hunde als angenehme Menschen zu bezeichnen waren. Der eine war von wohlwollender Gleichgültigkeit, der andere geradezu großmütig tolerant, sogar sämtlichen Tiersorten gegenüber. Und im Süden befand sich das unzugängliche Moor – von dem hatte der Weg, an dem sie wohnten, seinen Namen erhalten.

Das alles mit möglichst gründlicher Vorsicht zu erforschen, brauchte nun mal seine Zeit, selbst für dieses entdeckungsfreudige Hundewesen. Schließlich hatte der Garten die Ausmaße von einigen Fußballplätzen. Und zwischen halbwegs übersichtlichen Rasenflächen, zutreffend als Wiesen bezeichnet, wuchsen dichte Sträucher, standen Dutzende Birken und dabei auch drei Bäume, die mehr als hundert Jahre alt waren: urwelthaft wirkende, mächtige Weiden.

Zwischen vorderer Hauptwiese und hinterem Obstgarten floß ein munterer Bach. Der wurde, weil bequem erreichbar, bald zu Muckels bevorzugter Privatbar. Einige andere sollten später dann noch hinzukommen, von der Tochter zeitgemäß als *Muckels Tankstellen* bezeichnet. Im Garten gab es dann auch noch den Teich am westlichen Rande, in den der Hund manches Mal lange hineinstarrte. Vermutlich war der wohl für ihn ein gigantischer Spiegel, in dem er sich gern betrachtete.

Bei diesen Expeditionen in seine nähere Umgebung, kam dann auch das bei diesem Hund zum Vorschein, was man wohl *Jagdinstinkt* nennt. Er begegnete eben nicht nur bizarren bis mächtigen Gewächsen, nicht nur verschiedenen Gewässern, sondern auch Tierlebewesen, die ihn magisch anzogen. Denen stürzte er sich entgegen.

Natürlich keineswegs wahllos. Katzen etwa duldete er, Schafe und Rinder auch, aber vor ihm auf- und davonflatternde Vögel erregten seine größte Aufmerksamkeit, ebenso Wühlmäuse; und vor dahinflitzenden Hasen stand er erst verblüfft, bevor er ihnen unverzüglich nachstürzte, erregt und heftig stieß er besonders rauhe, laute Töne dabei aus.

Aber all das war stets völlig vergeblich. Er erledigte, also erlegte wohl in seinem Leben kein einziges Tier. Doch er freute sich daran, es immer wieder zu versuchen.

Viele Jahre später wurde er dann allerdings in unmittelbarer Nähe einer zerbissenen, ja regelrecht zerfetzten Tessiner Giftschlange erblickt, deren Biß tödlich war. Neben der hockte Muckel kriegerisch triumphierend. Mit ausdauerndem Stolz.

Die Schlange war vermutlich von einer der Katzen des Hauses getötet worden. Und die hatte sie Muckel dann als Freundschaftsgabe zu Füßen gelegt. Die Katzen fühlten sich wohl geschmeichelt, ihrem Tier Nummer eins gefällig zu sein. Auch sie liebten ihn; und sie waren klug genug, in ihm einen möglichen Beschützer für sich zu sehen.

Damals aber begann alles erst. Schrittweise eroberte sich dieser Hund seinen großen Garten, bis er glaubte, alle erdenklichen Einzelheiten aufgespürt zu haben. Dann – brach er aus!

Zunächst in eine Richtung, die seiner Frau und deren Mann noch am angenehmsten war. Er drang bei den Tiere tolerierenden westlichen Nachbarn ein, erschnüffelte dort jede erreichbare Ecke, fühlte sich sichtlich wohl, war spürbar nicht unwillkommen. Das Beunruhigendste an diesem Ausflug war, daß sich niemand erklären konnte, wie dieser Hund durch den mehrfach abgesicherten Zaun gekommen war.

»Das ist ein ganz ausgekochtes kleines Kerlchen!« sagte der Mann überzeugt. »Was der will, das erreicht er auch. Der läßt einfach nichts aus.«

Was zuzutreffen schien. Muckel hat stets jede sich bietende Möglichkeit wahrgenommen, um auszubrechen. Nur ein unbewachter Augenblick – und er gab prompt seinem Freiheitsverlangen nach.

Ein angelehntes Fenster im Untergeschoß, eine nicht richtig geschlossene Tür, das Versäumnis ihn rechtzeitig an die Leine zu legen – er nutzte alles aus und sauste davon. Schattengleich, ohne jeden Laut, auf leisen Pfoten.

Es war keinesfalls immer klar erkennbar, warum er weglief. Eine gewisse Abenteuerfreudigkeit müsse man ihm ja wohl zugestehen, meinte der Mann. Und auch die Frau war bereit, das zu akzeptieren.

Bis sie eines Tages dahinter kamen, daß es noch ganz andere Beweggründe für die Ausbruchsversuche ihres Hundes gab. Muckel schien nämlich, sobald er eins seiner Familienmitglieder vermißte, nach ihm zu suchen. Und das bedeutete, daß er in das Dorf, in Richtung Bahnhof, Geschäfte, Gasthaus lief.

Ein anderer Grund, der Muckel bewog auszubrechen, sich entfernen zu wollen, war gelegentlich unvermeidbare Disharmonie in der Familie. Das Gefühl, daß die Menschen seiner Umgebung sich nicht ganz verstanden, bedrückte ihn. Er mußte sich dann wohl überflüssig, unbeachtet, ja wie eine Nebensache vorkommen.

Wenn er aus letzterem Grund flüchtete, war es schwer, ihn wiederzufinden. Dann schien er, wie um sich zu verkriechen, abgelegene Wege, abseitige Gehöfte, einsame Weidewiesen zu bevorzugen.

Dort stand er dann zwischen Kühen, die ihn anstaunten, und die er ruhig betrachtete.

Bei derartigen Fluchtausflügen waren Muckel die Begleitumstände völlig gleichgültig. Ob heiße Mittagssonne, eiskaltklare Nacht, strömender Regen – Muckel schien entschlossen, seine Menschen zu zwingen, nach ihm zu suchen. Als wäre das eine Möglichkeit, sie wieder zu vereinen.

Waren sie auf der Suche nach ihm, ließ er sich schnell finden. Sie brauchten dann nur nach ihm zu rufen. Sobald er ihre Stimmen vernahm, möglichst beide gleichzeitig, stürzte er auf sie zu, aus irgendeinem Gębüsch, hinter einer Hausecke hervor. Dann, in ihrem Auto geborgen, war er bemüht, beide gleichzeitig zu berühren, sie wieder miteinander zu verbinden.

Und diese Taktik funktionierte so gut wie immer.

An einem der ersten Abende, an denen eine dieser Zugehörigkeitsdemonstrationen stattfand, wurde im Hause von Frau und Mann, also auch in dem von Muckel, ein lange geplantes Faschingsfest gefeiert. Es waren viele Menschen eingeladen, und alle wollten kommen.

»Ich habe hier«, hatte die Frau verkündet, während sie mit den Vorbereitungen beschäftigt war, »alle Hände voll zu tun! Darf ich dich deshalb bitten, dich um unseren Muckel zu kümmern?«

»Wird gemacht«, hatte der Mann bereitwillig versichert; sie sollte ihre Freude haben und die Gewißheit, daß ihr Hund bestens betreut würde.

Er hatte sich sogar, obwohl ihm derartige Veranstaltungen mißfielen, faschingsgerecht bekleidet. Im Texasstil: blutrotes Leinenhemd mit Lederfransen, dazu reitgerechte Cowboyhosen, die in verschwenderisch buntbestickten Stiefeln steckten.

Doch so überaus dekorativ dieses Schuhwerk auch sein mochte – es war quälend eng. Muckel betrachtete die Erscheinung des Mannes ziemlich verwundert und dessen steifen Gang mit aufmerksamem Blinzeln. Bereits jetzt schon konnte man diesem Faschingstreiben ein gewisses Amüsement nicht absprechen.

Das nahm natürlich noch zu, als die Gäste, lautstark und amüsierbereit, eintrafen. Alle hatten sich wirkungsvoll verkleidet: fernöstlich, südamerikanisch, mittelafrikanisch, urwäldlerisch, polarartig, mittelalterlich. In Herden schoben sie sich vorüber – an Muckel und Mann.

Die beiden hielten sich hinter der geschlossenen Glastür auf, die zum oberen Stockwerk führte. Dort hatten sie sich sozusagen verschanzt und konnten trotzdem alles betrachten, was sich ihnen geradezu verschwenderisch anbot.

Allerdings wollte ihnen dieses Menschengewimmel ziemlich schnell als viel zu laut anmuten. Wenn die beiden eine Gemeinsamkeit besaßen, dann war das wohl die: Hund wie Mann konnten keinerlei Verständnis für großtönende Wortgebilde entwickeln, für wichtigtuerisches Daseinsgeschrei, für eine Welt, die sich mit Lautsprechern zu vervielfältigen trachtete. Das alles störte ihren wohl ausgeprägtesten Sinn empfindlich.

Diese Empfindlichkeit schloß aber keineswegs aus, daß die beiden Lebewesen, Hund und Mann, recht gesellig waren. Sie liebten es, alle möglichen Freunde um sich zu versammeln – Tiere wie Menschen. Jeder war ihnen willkommen, der zu ihnen gehören wollte; wie etwa der schwarze Nachbarskater Felix, der freundselig gelegentlich mal vorbeischaute, oder Samson, der Dackel, der sich von Muckel gerne beköstigen ließ.

Doch ein derartiger Herdenauftrieb, wie er hier in dieser Faschingsnacht stattfand, war ihnen und ihrer Welt sehr fremd. Dabei war der Frau, und das wußten beide, das Freudengetöse nicht anzulasten. Die wollte lediglich Fröhlichkeit für alle, auch für sie – Hund und Mann.

Doch die standen abseits, gehörten einfach nicht dazu. Der Mann ließ sich auf der untersten Stufe der Treppe nieder. Und Muckel hockte sich neben ihn, als versuche er ihn zu trösten.

Die beiden bevorzugten interessante Wesen, die eigenwillig, witzig oder gar geistvoll waren. Die konnten vor sich hin philosophieren, ihre Scherze machen, sogar Heimtheater veranstalten – nur brüllen und poltern sollten sie nicht. Und nicht gleich in Massen auftreten.

Sie mußten auch Muckel nicht gleich mögen. Denn darauf kam es gar nicht an. Wen er lieben und von wem er geliebt werden wollte, den suchte er sich aus – das waren nur sehr wenige. Von den anderen wünschte er toleriert zu werden; geschah das, war er dafür dankbar.

Das war aber nicht immer ganz einfach. So etwa begegnete Muckel, zusammen mit dem Mann, einem weltweit bekannten Romancier. Sie besuchten ihn in seiner von ihm so genannten *Hütte,* einem prächtigen Landhaus in herrlicher Landschaft. Dort weißausgelegte Fußböden, kostbare Teppiche, flirrende Vorhänge – darin *der Meister,* betont modebewußt gekleidet, überaus gepflegt. Und vor ihm nun dieser kleine schwarze Zottelhund.

Beide betrachteten sich, offensichtlich leicht über einander verwundert. Betont höflich, wie der Meister nunmal war, begrüßte er, mit einer angedeuteten Verbeugung, dieses von seinem Besucher mitgebrachte, ihm gewiß recht seltsam erscheinende Tier. Muckel schaute ihn an und schien dann mit dem Kopf zu nicken. Hierauf zog er sich zurück, schnupperte kurz um sich und legte sich auf einen Teppich.

Beim Abschied sagte der weltberühmte Mann, mit der ihm eigenen Liebenswürdigkeit: »Ich habe noch niemals einen derart höflichen Gast in meinem Haus gehabt, noch dazu einen mit so ausgeprägt gutem Geschmack. Dieser Hund hat meinen schönsten und wertvollsten Teppich gewählt und sich darauf sichtlich wohlgefühlt.«

Auch Muckels Verhältnis zu dem Postboten, der jahrelang Briefe und Pakete herbeischleppte, war ungewöhnlich. Dem eilte er sogar begrüßungswillig entgegen. Auf den schien er geradezu zu lauern – falls er nicht durch Jagdsehnsüchte und Ausbruchsverlangen abgelenkt war. Sobald er ihn erreicht hatte, fing er an zu bellen, was aber keinesfalls Abwehr, sondern vielmehr Ankündigung zu bedeuten hatte; es hörte sich ungefähr an wie: »Der – kommt!«

Die zwischen Hausverteidigungshunden und uniformierten Briefträgern oftmals angezweifelte Harmonie existierte hier tatsächlich. Warum das so war, ließ sich ganz einfach erklären: dieser Postbeamte war der Familie stets willkommen – und damit selbstverständlich auch ihrem Muckel. Dieser Hund war nunmal ein anteilnehmendes Wesen.

Muckel wollte nicht abseitsstehen, keinesfalls dahindösend unter irgendeinem Tisch liegen; er wollte sich beteiligen, sich möglichst nichts entgehen lassen, seine Neugier befriedigen. Das traf, Jahre später, besonders auf die Silvesterfeier im kleinen Kreis in einem Hotel in Lugano zu.

Dort hockte er, sobald der heitere Teil der Nacht begonnen hatte, auf einem leuchtendroten Samtsessel zwischen Frau und Mann. Und dabei bot er, mit seinem tiefschwarzen gekräuselten Fell auf dem kontrastreichen Rot, einen überaus wirkungsvollen Anblick. Seine anteilnehmend leuchtenden Augen waren die Krönung dieses schönen Bildes.

Menschen um sich zu haben, genoß er. Aber beide, Hund und Mann, liebten es, im Hintergrund zu bleiben. Sie gefielen sich in der Rolle aufmerksam dasitzender Betrachter.

»Der«, hatte dann seine Frau richtig erkannt, »paßt sich dir immer mehr an!« Was der Mann zwar nicht ungern hörte, aber was ihn doch etwas beunruhigte. Wohl war er bereit, diesen Hund zu betreuen, aber, sollte der etwa versuchen, ihn zu vereinnahmen?

Auf jeden Fall behandelte er Muckel in ihren ersten gemeinsamen Jahren niemals ganz ohne wachsam-mißtrauische Vorbehalte, doch stets wohlwollend nachsichtig. Und was er frühzeitig an diesem Hund bewunderte, war dessen niemals nachlassende Betrachtungsfreude.

So hockten sie also beide in ihrem Haus, als um sie herum das große Faschingstreiben stattfand. Und so gut wie alles, was sich dort ereignete, empfanden sie als reichlich geräuschvoll und aufdringlich.

Diese entfesselte Menschenmeute, die sie gemeinsam durch eine geschlossene Glastür betrachteten, machte sie unruhig. Sie fühlten sich gar nicht wohl. Sie blinzelten sich vieldeutig an und tranken Mineralwasser.

Dann wurde die Glastür geöffnet – von einer der Freundinnen der Frau, einer dekorativen, dunkelleuchtenden Schönheit. Selbst Muckel starrte sie, sekundenlang, wie gebannt an. Doch dann schüttelte er seinen dicken Kopf, und zwar heftig.

Die Freundin war eine von den Frauen, die ebenso verlockend wie irritierend auftreten konnten. Sie kam jetzt auf den Mann zu, umarmte ihn, schien ihn für sich zu beanspruchen. Muckel knurrte unwillig.

»Komm bitte mit – wir vermissen dich sehr.«

Eine Aufforderung, der Folge geleistet wurde. »Bitte, warte hier auf mich!« verabschiedete sich der Mann von dem Hund. »Ich komme sicherlich bald zurück.« Worauf er abgeführt wurde – angeblichen Faschingsfreuden entgegen.

Dabei blieb, was Muckel sofort bemerkte, die Glastür offen; selbstverständlich unbeabsichtigt. Doch genau darauf schien dieser Hund stundenlang gewartet zu haben. Schnell wieselte er davon.

Dabei entdeckte er, gewiß voll überraschter Freude: dieses Haus war wie ein Taubenschlag! Türen und Tore waren weit geöffnet, Menschen kamen und gingen. Und zwischen ihren Füßen eilte Muckel zielstrebig und völlig unbehindert vorwärts – seiner Freiheit entgegen.

Währenddessen bemühte sich die attraktive Freundin, den hier ziemlich deplaziert wirkenden Mann zu lockerer Fröhlichkeit zu ermuntern. Ein Vorhaben, das jedoch sehr bald schon zum Scheitern verurteilt war. Denn der Mann vermißte den ihm anvertrauten Hund. Ihn suchte er – im Treppenflur hinter der Glastür, in den oberen Räumen, überall im Haus. Vergeblich.

Worauf sich der Mann, mit leicht beschleunigten Schritten, in den bunt hergerichteten Großkeller hinab begab, wo sich ein halbes Hundert Vergnügungsfreudiger herumtummelte. Dort sorgte seine Frau für das Wohl ihrer Gäste – sie füllte Gläser nach, leerte Aschenbecher aus, öffnete Flaschen.

»Ist er bei dir?« fragte er sie eindringlich. »Hast du ihn gesehen?«

»Falls du damit etwa unseren Muckel meinen solltest«, sagte sie, ohne ihre intensive Beschäftigung zu unterbrechen, »so ist der doch diesmal allein deine Angelegenheit. Haben wir das nicht ausgemacht?«

Schnell verließ er sie und damit auch die herumwimmelnden Faschingsmenschen, die ihn allerdings nicht sonderlich beachteten. Unruhe begann in ihm aufzusteigen. Das war ja wohl deutlich genug gewesen: die Frau hatte ihm, allein ihm, jede Verantwortung für diesen eigenwilligen, eigensinnigen Hund aufgebürdet! Und das noch einmal ausdrücklich bestätigt; unmißverständlich:

»Der ist dir diesmal ganz direkt anvertraut worden, womit du einverstanden gewesen bist. Falls er dir nun abhanden gekommen sein sollte, mußt du ihn eben suchen.«

Das versuchte der Mann dann auch. Er hüllte seine farbenfrohe, texanisch angehauchte Faschingsbekleidung in einen dunklen Wollmantel, stülpte sich einen Hut auf und begab sich, nach Muckel fahndend, ins Freie. In eine klare, kalte Februarnacht hinaus.

Er bemühte sich, den Ausreißer schnellstens aufzuspüren, doch wie er dieses Ziel erreichen konnte, wußte er noch nicht. Erst viele Jahre später, glaubte er, sollte es ihm gelingen, in bestimmten Situationen so zu denken wie Muckel; wobei er wohl meinte: dieser Hund denke ähnlich wie er. Was, wieder einmal mehr, nichts als eine wunderschöne Täuschung war.

An diesem Abend jedenfalls, es war fast Mitternacht, eilte der Mann, in seinen engen Cowboystiefeln, durch die Straßen ihres Dorfes. Zunächst aufwärts, zum Friedhof hin; dann schnell abwärts, dem Bahnhofsgelände zu. Er glaubte nämlich erkannt zu haben: Hunde bevorzugen, wenn sie sich frei bewegen können, von Hunden benutzte Straßen –

weil sie dort Geruchsmarkierungen vorfinden und somit reichlich Gelegenheit erhalten, auch ihre eigene anbringen zu können. Ein Verlangen, das wohl zahlreiche Hunde davor bewahrt hat, sich auf tödlichen Autofahrbahnen zu tummeln.

Deshalb also war er nicht übermäßig besorgt, rief aber dennoch laut nach Muckel. Wieder und immer wieder. Völlig vergeblich.

Und wenn sich dabei seiner Stimme leicht schrille Töne beimischten, dann wohl nur wegen seiner sich schnell steigernden Schmerzen. Denn die fabrikneuen Texasstiefel hatten seine Füße bereits erheblich wund gescheuert. Und seine körperliche Kondition, geschwächt von Tausenden von Schreibtischstunden, war auch nicht gerade die allerbeste.

Alsbald begann er schwer zu keuchen; stolperte, drohte hinzufallen! Und das alles wegen eines Hundes. Mannhaft versuchte er seine Schwäche zu beherrschen. Tief atmend stand er da – und dachte nach.

Muckels Eigenwilligkeit, dachte er, muß wohl in Betracht gezogen werden. Wenn der flüchtet, dann gewiß nicht ohne Phantasie! Der Mann traute diesem Hund durchaus einen reichlich ausgefallenen Fluchtort zu. Der könnte sich sogar gen Süden begeben haben, dem Moorgebiet entgegen.

Das lag giftdunkel, geheimnisvoll glänzend im fahlen Mondlicht da. Niedere Buschgewächse, eng ineinander verfilzt; hohe Gräser, teppichartig zusammengeflochten; Wasserlachen, die ebenso unendlich tief, wie auch verdreckt flach sein konnten. Ein Abenteuergelände sondergleichen.

Und dort angekommen erblickte er, nahe einem verknorrten Weidenbaum, einen kleinen, sich nur schwach bewegenden Schatten, der sich mal aufzulösen schien, dann jedoch wieder deutlicher in

Erscheinung trat. Und er hatte die Umrisse eines Hundes.

»Bist du das, Muckel?« rief der Mann in das finstere Sumpfgelände hinein.

Der Schatten verharrte. Stieß dann einen kurzen Laut aus, und der hörte sich an wie: Ja!

»Dann komm zu mir!«

Nach kurzer Pause erfolgten dann drei weitere, ängstliche Laute. Die wohl bedeuten sollten: Kann – ich – nicht!

Warum dieser Hund das nicht konnte, wurde dem Mann, als er sich auf Muckel zu bewegte, bald klar: er hatte sich zwischen Grasflächen, Wasserlöchern und Saugsumpfkratern total verirrt. Wobei ihm wohl sein frühzeitig ausgeprägter Selbsterhaltungstrieb geboten hatte, sich bei dieser Expedition nunmehr auf keinerlei Fragwürdigkeiten mehr einzulassen. Also – wartete er! Und zwar auf den Mann.

Der watete ihm entgegen – mit höchster Vorsicht. Dabei versank er, bis weit über die Knöchel, im breiigen Dreck. Um dann endlich, nach langen Minuten Moordurchquerung, dem Hund gegenüberzustehen.

Eigentlich hätte er jetzt sagen wollen: Das hättest du mir ersparen können! Kannst du denn nichts, als mir Schwierigkeiten machen? Was denkst du dir dabei eigentlich?

Aber er beugte sich lediglich Muckel entgegen. Hob ihn auf, hielt ihn im Arm. Was der Hund sich offenbar gern gefallen ließ.

Dabei nahm der Mann nicht die geringste Rücksicht darauf, daß dieser mitternächtliche Moorhund nunmehr ungeheuer verdreckt war. Seine Füße und sein Bauch trieften geradezu vor stinkender Nässe. Der Mann jedoch barg Muckel eng an seiner Brust.

Schweratmend, mit wundgescheuerten Füßen, trug er dann das erschöpfte Tier heim. Wobei er ihm zuflüsterte: »Was ist denn da, mit dir, auf mich zugekommen? Mach so was möglichst nicht wieder, kleiner Kerl.«

Der blickte ihn kindlich zutraulich an, stieß ermunternd zärtlich seinen Kopf gegen die Wange. Wobei sich aber Muckels Barthaare gleichfalls als klebrig, naß und schmutzig erwiesen, was auf dem Gesicht des Mannes alsbald recht komisch anmutende Flecktupfer erzeugte. Er sah aus wie ein grauer Clown.

»Nun ja, nun ja, mein Kleiner! Eigentlich sollte ich dir nun sehr böse sein – bin ich aber nicht. Doch bilde dir nichts darauf ein! Du bist überaus strapaziös. Laß das – und da kann ich dich nur warnen – nicht zu einem Dauerzustand werden.«

Sie landeten dann in seinem oberen Badezimmer, nicht ohne vorher an diesen Faschingsfreudenmenschen vorbeimarschieren zu müssen. Aber die hatten sie erfreulich wenig beachtet – sie hielten wohl diesen Anblick für eine wenig gelungene Maskerade.

Darauf folgten höchst intensive Waschungen. Und die ließ der Hund geradezu genußvoll über sich ergehen. Als dann die Frau auftauchte, registrierte sie überaus anerkennend:

»Welch ein Idyll!«

Kaum eine größere Täuschung war vorstellbar. Aber schließlich war ja Fasching.

5.
Erste gemeinsame Ausflüge – in südliche Gefilde

»Italien!« verkündete der Mann.

Die ganze Familie, so wünschte er, sollte an diesen südlichen Besichtigungserlebnissen und Badefreuden teilnehmen. Die kleine, zierliche Tochter ebenso, wie der ziemlich unentwickelt wirkende Muckel; beide waren noch unverkennbar Kleinkinder, dennoch aber schon sehr deutlich vorhanden.

»Solltest du dir das tatsächlich wünschen – unbedingt?« fragte ihn seine Frau, ein wenig verwundert.

»Wünscht du dir das nicht auch?«

Darauf meinte sie: »Wir könnten aber auch meine Mutter bitten, sich inzwischen um unsere Tochter zu kümmern – und um Muckel auch. Die macht das bestimmt gerne; und bei der wären beide gut aufgehoben.«

»Aber im Grunde willst du das doch gar nicht, habe ich recht?«

»Kann sein«, gab sie behutsam zu.

»Dann«, entschied er, »werden wir gemeinsam reisen – und wer sich anschließen will, ist willkommen; er muß nur zu uns, zu uns allen passen.«

So fuhren sie dann südwärts, nach Italien – in einem eigentlich äußerst bequemen, nun jedoch randvoll gepackten Fahrzeug. Denn sie waren nicht nur vier: Frau, Kind, Hund und Mann; auch eine Freundin der Frau und deren Sohn waren mit von der Partie.

Diese Freundin war von höchst angenehmem, verständnisvollem Wesen, auch Muckel gegenüber. Und das spürte der. Fortan gehörte sie mit zu seiner Welt.

Und so viel sich auch in den kommenden Jahren ändern sollte – diese frühe gegenseitige freundschaftliche Zuneigung blieb bestehen. Immer wenn sie sich begegneten, war ihre Freude darüber unverkennbar. Den letzten Silvesterabend seines Lebens verbrachte er in ihrer Nähe. Geruhsam daliegend, mit den Menschen seiner Umgebung unendlich vertraut.

Das jedenfalls war eine lange Tagesreise – von München bis in die Gegend von Udine. Große Heiterkeit erfüllte sie alle; und die wollten sie sich nicht trüben lassen, mochte auf sie zukommen, was da wolle.

Zum ersten Mal stellte sich hier heraus, daß dieser Muckel ein richtiger Reisehund war. Er stand da, schaute und staunte. Vielleicht erfüllte ihn auch schon früh besorgtes Mißtrauen gegen das, was man gemeinhin Straßenverkehr nennt. Denn damit hatte er bereits einige unangenehme Erfahrungen machen müssen – er war erschreckt, angebrüllt und mit Dreck beworfen worden. Das hatte ihn schockiert. Und sowas war nicht einmal dem ganz großen, auf ihn lauernden Schäferhund gelungen.

Bei seinen Reisen jedenfalls pflegte Muckel aufmerksam beobachtend dazustehen – und das stundenlang, unbeirrbar. Mit Vorliebe auf dem Nebensitz bei seiner Frau; falls sich dort jedoch der Mann breitmachte, stand er auf dem Rücksitz; gerne auf einem Koffer als Aussichtsplattform. Haltsuchend stemmte er sein Hinterteil gegen eine Seitenwand.

Er schien sich eben nichts entgehen lassen zu wollen, sah forschend auf die Straße, betrachtete die Gegend, war an allem um ihn herum äußerst interessiert. Und das während der ganzen, oftmals stundenlangen Reise, die auf diese Weise für das kleine, keinesfalls robuste, wenn auch überaus zähe Kerlchen recht anstrengend gewesen sein muß.

Sehr viele Jahre später, erst gegen Ende seines Lebens, gönnte er sich dann einige Erleichterungen. Sobald ein Wesen seiner allernächsten Umgebung neben ihm im Fahrzeug saß – etwa der Mann oder auch die Tochter, die schließlich gleichaltrig war, der er vertrauen konnte, schmiegte er sich an sie, legte den Kopf in ihre Hände, schlief sogar ein. Er wußte, solange einer seiner Menschen ganz dicht bei ihm war, konnte er sich völlig geborgen fühlen.

Diese erste große Reise nach Italien jedenfalls überstand Muckel mühelos. An ihrem Ziel, einem Hotel mit protzigem Namen in der Nähe von Venedig, wurden sie mit kommerzieller Herzlichkeit willkommen geheißen. Dann jedoch kam die höfliche Einschränkung: Hunde wären hier zwar durchaus nicht unwillkommen – doch, leider, nicht im Speisesaal.

Sie versuchten dennoch ihr Glück – vergeblich. Der Oberkellner eilte ihnen zwar geschäftig entgegen, um zu versichern, er habe den besten Tisch für sie reserviert, ihnen ein ganz besonderes Abendessen zubereiten lassen. Aber – der Hund, er erlaube sich darum zu bitten, müsse sich im Vorraum aufhalten. Dort könne der jedoch großzügiger Versorgung sicher sein, dafür werde garantiert.

Sie verzichteten, schnell und einstimmig, auf den sogenannten besten Tisch dieses Hauses, setzten sich an den, der sich in unmittelbarer Türnähe befand. Von dort aus konnten sie Muckel, nur ganz wenige Meter von ihnen entfernt, hocken sehen. Er wurde zwar, wie angekündigt, großzügig versorgt, mit Schweinsbraten und Hammelrücken, doch nichts davon rührte er an.

»Das«, stellte der Mann fest, »ist alles andere als ein erfreulicher Zustand.«

»Den werden wir ändern müssen!« entschied die

Frau. »Das hier ist kein Hotel für uns.« Was eindeutig hieß: keins für Muckel.

Gleich am nächsten Morgen machten sich Frau und Freundin auf die Suche nach einer ihnen allen angemessenen Herberge. Und die hatten sie auch bald gefunden. Ein nicht ganz so großes, etwas weniger komfortables, doch recht gemütliches Hotel war bereit, sie aufzunehmen. Auch den Hund.

Für Muckel konnte sogar ein zufriedenstellendes Arrangement ausgehandelt werden; seine Anwesenheit in diesem Hause sei willkommen, sein Aufenthalt im großen Speisesaal werde sich ermöglichen lassen. Bei einem Familientisch in Fensternähe wurde ein kleiner Liegeplatz mit Aussicht geschaffen.

Der zuständige Oberkellner erhielt ein von allen Muckelbegleitern zusammengelegtes, geradezu verschwenderisches Trinkgeld. Und das beflügelte diesen Speisesaalgewaltigen derart, daß Muckels Mahlzeiten alsbald nicht ganz ungefährliche gastronomische Ausmaße annahmen. Er erhielt Berge von Braten, die er genußwillig in sich hineinmampfte.

»Hoffentlich«, bemerkte der Mann nach ein paar Tagen, »entwickelt der sich nicht zu einem fetten Monstrum!« Eine Bemerkung, die nicht ohne Empörung registriert wurde. Auch von Muckel.

In diesem Hotel ergab sich dann eine andere Komplikation, die sie eigentlich hätten voraussehen müssen. Da sie ja hier nicht *gebucht* waren, erhielten sie auch keine nebeneinanderliegenden Zimmer. Freundin mit Sohn mußten zunächst in einem Nebentrakt untergebracht werden.

Gleich beim Einzug der Großfamilie war der Hund entschwunden. Das Hotelpersonal wurde alarmiert, es erfolgte eine muntere *Jagd nach Muk-*

kel; eine animierend hohe *Fangprämie* wurde ausgesetzt. Der Mann sah, phantasievoll, wie er war, den Hund bereits angstvoll in fremdem Land umherirren!

Dann wurde er bei der Freundin gefunden. Nach der hatte er wohl nur mal kurz sehen wollen. Auf dem Weg zu ihr hatte er Korridore durchquert, Nebengebäude durchwieselt, Treppen bestiegen, die er nie vorher gesehen hatte – instinktiv verblüffend sicher.

Denn Muckel wollte nun mal alle Lebewesen, die zu ihm gehörten, auch beschützend betreuen. Das schien sogar der Direktor des Unternehmens schnell zu begreifen – unverzüglich sorgte er dafür, daß der ganze Clan zusammengelegt wurde. Wegen des Hundes.

Am nächsten Vormittag begaben sie sich, selbstverständlich gemeinsam mit Muckel, zum offiziellen Badestrand. Dort fanden sie einladende Strandkörbe, weißsandige Ufer, ein verlockend dahinplätscherndes Meer und – einen Wächter. Und der erklärte abweisend: »No cane!«

Keine Hunde! Was wohl eine zeitgemäße und auch nicht ganz unberechtigte Forderung war. Denn wo Menschen in Massen in Erscheinung treten, kann für Hunde, auch nicht für noch so kleine, Platz sein. Schon gar nicht in der sogenannten Hauptsaison; weder in Fußballstadien, noch auf Faschingsveranstaltungen, oder in Strandbädern. Das muß man verstehen.

Denn diese Tiere, nicht wahr, könnten reinen Sand versauen. Nicht etwa wie Menschen, die lediglich Speisereste, Verpackungsmaterialien, Glasflaschen, Zigarettenstummel und Plastikgebilde um sich verstreuen, diese Hunde lassen vielmehr Exkremente fallen, was fürchterliche Verseuchungsgefahren heraufbeschwören könnte.

Und nicht etwa, daß nun behauptet werden soll, Muckel wäre die gepflegte Reinlichkeit in Person gewesen. Darauf war er wirklich nicht abgerichtet worden. Doch er hatte, sehr schnell, ein absolut sicheres Gefühl für Anstand entwickelt – er bepinkelte weder Teppiche noch Terrassen und Badetücher und Liegewiesen auch nicht.

Mithin war also Muckel als absolut *strandrein* anzusehen, ohne dabei gleich *ein besonderer Hund* zu sein. Doch da er sich als Mitglied einer halbwegs gesitteten Familie fühlte, benahm er sich auch dementsprechend. Darauf war Verlaß.

Das aber war dem Strandkorbwächter nicht klar zu machen. Etliche Tausende, abermals gemeinsam von der Familie aufgebrachte Lira, schienen ihm dann aber doch ein überzeugendes Argument zu sein. Er gab also den Weg frei – wobei er einfach so tat, als sehe er den Hund gar nicht; als habe er den niemals gesehen.

Hierauf bezog Muckels erweiterter Familienclan zwei Strandkörbe. Unverzüglich begannen sie für ihren Hund eine Art Schutzburg aus Sand zu errichten, einen Bau mit zwei übersichtlichen Ausblicken – einem zu den Menschen und einem auf das Meer. Dort ließ sich Muckel scheinbar behaglich nieder, doch er blieb wachsam und mißtrauisch. Berechtigt – wie sich herausstellen sollte.

Denn bald tauchte hier eine Art Oberstrandwächter auf. Der wies auf Muckel, wobei er wohltönende, doch eindeutig empörte Wortgebilde hervorsprudelte. Ein Paradiesengel ohne Flammenschwert, aber vielleicht mit einem Klappmesser in der Tasche. »No cane!« Also: keine Hunde! Für so was, erklärte er, gäbe es hier einen Freistrand.

Und so wanderten sie dann aus – Frau, Mann, Tochter, Freundin mit Sohn; gemeinsam mit ihrem Muckel. Vorbei an einem Drahtzaun, der

Buchungstouristen von Freireisenden trennte, über eine Düne hinweg zu einem weiten, breiten Meeresstrand hin. – Der war wohltuend ungepflegt, also ohne Wächter, Strandkörbe, Limonadenbuden, Freßstände und Andenkenverkäufer. Dafür gab es ausgewaschene Steine, angeschwemmte Algenbüsche, klobige Hölzer; auch Menschen, die allerdings in erfreulich geringer Zahl. Jüngere Leute, ältere Rentner, bescheidene Reisende, fast alles, was den garantiert gepflegten Badekomfort nicht bezahlen konnte oder wollte. Und dazwischen etliche Hunde verschiedenartigster Größenordnung; die sprangen, von lässiger Daseinsfreude erfüllt, durch die Gegend. Sie schleppten Strandgut herum, spielten miteinander, sprangen sich an, umtobten ihre Mitmenschen.

»Das ist es wohl!« meinte die Frau beglückt zu ihrem Muckel.

Erlebnisfreudige Stunden und Tage folgten. Sie bauten Sandhäuser, überspannten sie mit Badetüchern als Sonnensegel, tänzelten dem Meer zu, spielten mit den Wellen. Sie gaben sich ganz den Freuden des Augenblicks hin.

Überaus beglückende Erlebnisse, zu denen Muckel nicht unwesentlich beitrug. Er veranstaltete Greif- und Verfolgungsspiele mit seiner Familie, schleppte bizarre, angeschwemmte Holzstücke an, versuchte vor ihnen einen Algenteppich auszulegen – alles mit unermüdlicher Freude.

Frau und Freundin waren glücklich mit diesem Hund, deren Kinder auch. Das, sah der Mann ein, mußte er wohl berücksichtigen; das war ja auch in seinem Sinne. Denn auch er versuchte, Muckel zu erfreuen, auch wenn der ihn noch nicht sonderlich zu beachten schien.

Doch eben deshalb – also um einen Hund zu erfreuen – schlug der Mann einen ersten Tagesausflug nach Venedig vor. Was unverzüglich akzeptiert wurde. Die Stadt lag kaum mehr als eine Stunde entfernt, und das Fahrzeug war für diese Expedition ausgeräumt, also recht bequem.

In Venedig angekommen, stellten sie ihren Transportapparat in der Großgarage beim Bahnhof ab. Dann bestiegen sie ein Motorboot, was jedoch Muckel gar nicht sonderlich zu gefallen schien. Unruhig winselte er vor sich hin. Doch als sie endlich in einer Gondel saßen, stellte sich ihr Hund, nunmehr spürbar zufrieden, auf die vorderste Plattform, und registrierte neugierig alles, was sich ihm darbot.

»Der genießt das!« stellte die Frau fest.

»Der ist eben«, bestätigte die Freundin, »ein ganz ungewöhnlicher Hund.«

Muckel blinzelte die beiden weiblichen Wesen geradezu verständnisinnig an.

Gemeinsam bewunderten sie dann den Markusplatz; die Domfassade, den Campanile, das Glokkenspiel. Alles war tatsächlich so, wie in Reiseführern beschrieben. Fast war man versucht anzunehmen, diese Sehnsuchtsverkäufer hätten sich hier sogar Untertreibungen geleistet. Staunend ließen sie sich alle auf den Stufen bei den Kolonnaden nieder. Doch Familientochter, Freundinsohn und Muckel schienen sich für ganz andere Erscheinungen zu interessieren. Und zwar – für die Eisverkäufer.

Muckel allerdings begann alsbald, auch noch ein anderes, ganz anderes Interesse zu entwickeln. Und das galt den zahlreichen, treffender wohl, den zahllosen Markusplatztauben. Offenbar überkam ihn das Verlangen, sich mitten in diese hühnerähnliche Menge zu stürzen. Die Frau schien das zu merken; sie hielt ihn, ganz nahe, bei sich.

Doch bald schon wirkte dieser Hund wieder ausgesprochen gutmütig. Muckel war eben ein aufmerksamer Beobachter. Dabei hatte er wohl das Bemühen etlicher anderer Hunde verfolgt, sich unter diese Tauben zu mengen. Sie hatten versucht, die flatternde Menge aufzuscheuchen, völlig vergeblich. Die Tauben schissen darauf; im wahrsten Sinne des Wortes. Und das nicht nur vereinzelt mit verblüffendem Erfolg. Eine derartige Peinlichkeit schien sich Muckel ersparen zu wollen.

Und schließlich hatten ihn seine Erfahrungen klug gemacht. Etwa diese: zu Taubenhühnern könnten Schrotflintenmenschen gehören. Und: es gab Tiere, die weitaus beweglicher waren als er. Oder eben ungleich stärker. Eine Lektion, die ihm der wohl unvergessene Neufundländer namens Anton, der in der Nachbarschaft hauste, erteilt hatte.

Den hatte er, tapfer wie er war, anzubellen versucht. Worauf der lediglich seinen dicken Kopf gegen den von Muckel prallen ließ. Was ganz spielerisch geschah, fast freundschaftlich, doch mit eindeutigem Erfolg. Muckel, sichtlich verblüfft, hatte sich mehrmals überrollt und hockte dann, sehr verwundert und nachdenklich da. Er hatte eben rechtzeitig seine Möglichkeiten erkannt.

Unwichtig also diese Tauben! Das Eis der Kinder zog ihn ungleich mehr an. Geschlagene Sahne etwa bevorzugte er sehr. Noch bei dem letzten Lokalbesuch in seinem Leben, bei dem er auf einer Bank zwischen Mann und Frau dahinträumte, richtete er sich schnuppernd auf, als die Nachspeise, Kastanieneis mit Schlagsahne, serviert wurde. Daran wünschte er sich zu beteiligen.

Der war eben niemals unkompliziert; schon gar nicht in seinen ersten Jahren, in denen auch diese Venedigreise stattfand. Dort mußte er noch eine weitere Erfahrung machen: Hunde durften Kirchen, Museen und Ausstellungen nicht betreten.

Mithin fühlte er sich unberechtigt vernachlässigt.

Wollten seine Menschen etwa hier in Venedig den Dom besichtigen, mußte Muckel zurückbleiben. Doch dabei blieb er niemals allein – Frau und Mann lösten einander seinetwegen ab. Dennoch strebte er stets, kraftvoll an seiner Leine ziehend, den weit offenen Dom- oder Kirchentüren zu, um in das Innere hineinzustarren. Er wollte eben niemals seine Mitmenschen völlig aus seinen dunkelglitzernden Augen lassen.

Ein überaus ausgeprägtes Verlangen, das jedoch in allererster Linie der Frau galt! Sie allein war sein erklärter Mittelpunkt. Sie nährte ihn, sie pflegte ihn, in ihrer unmittelbaren Nähe durchschlief er die Nächte seines Lebens.

In seinem ganzen herrlichen, langen Dasein hatte es nur eine einzige Unterbrechung dieser Gewohnheit gegeben. Doch die hatte ihn ziemlich zu verstören vermocht. Das geschah in seinen noch jungen Jahren, als sich die Frau einer Blinddarmoperation unterziehen mußte.

Die Freundin der Frau und der Mann bemühten sich dabei intensiv um Muckel. Um gleich erkennen zu müssen: sie waren keinesfalls ein Ersatz für sie. Die fehlte ihm. Gleich als die Frau seinen Blikken entschwunden war, begann er mit entschlossen-verwegenen Abwehrdemonstrationen: Er weigerte sich, zu fressen; er lag da, als wäre er total erschöpft; wurde er angerufen, winselte er wie mit ergreifender Klage vor sich hin.

Bald schon war der Mann bereit, den Versuch zu unternehmen, Muckel von seinen Sehnsuchtsqualen zu erlösen. Ein Bemühen, das dann gemeinsam mit Chefarzt und Oberschwester vorbereitet wurde. Und das nur möglich war, weil dieses Krankenhaus aufgelöst werden sollte. Die meisten

Patienten waren bereits in eine neue Klinik verlegt worden.

So konnte dann der Chefarzt einem Besuch zustimmen, den er in seiner langen Amtszeit vorher noch niemals bewilligt hatte. Zumal die Oberschwester versicherte: so was habe sie sich schon immer einmal gewünscht. »Leisten wir uns das!«

Der antransportierte Muckel wurde also freundlich begrüßt und in eine Decke gehüllt. Ein Vorgang, der ihn veranlaßte, mehrmals heftig-unwillig aufzuhusten. Offenbar war diese Bekleidung für einen Hund vorsorglich präpariert, also desinfiziert worden. Worauf dann der Mann, als halte er ein krankes Kind in den Armen, Muckel durch die nahezu leeren Korridore trug. Zum Zimmer der Frau.

Als der Hund sie erblickte, zuckte er heftig zusammen. Er stieß jaulende Freudenlaute aus und versuchte sich mit erheblicher Kraftentfaltung freizustrampeln. Um sich ihr entgegenzustürzen.

Doch die Frau wehrte behutsam ab, versuchte, besänftigend mit ihm zu reden. »Wie schön, daß du da bist, mein Muckel. Doch du kannst leider nicht gleich zu mir kommen. Ich bin noch krank.«

Wobei der Mann erhebliche Mühe hatte, diesen heftig liebenden Hund zu bändigen. Er drückte Muckel dicht an sich. Was der ihm jedoch sehr übelnahm. Fast schien er bereit, sich von den Armen freizubeißen, die ihn behinderten. Doch er beließ es dann lediglich bei einem Knurren; wenn auch einem ziemlich heftigen.

»Benimm dich gefälligst, du Hund!« rief ihm der Mann zu. »Oder ich versohle dir den Hintern! Und zwar kräftig!«

Was lediglich eine leere Drohung war. Denn Muckel war niemals in seinem Leben von irgendeinem seiner Mitmenschen geschlagen worden.

Wenn eine höchste *Strafe* für ihn beabsichtigt war, bestand die lediglich aus minutenlanger, trauriger Mißachtung.

Doch nun blickte die Frau ihren Mann leicht mißbilligend an. Was wohl bedeuten sollte: was verstehst denn du schon von so einem Hund. »Bring ihn, bitte, zu mir; ganz dicht – damit ich ihn streicheln kann.«

Ihre Berührung schien Muckel durchaus zu genießen, ohne jedoch aufzuhören, angestrengte Befreiungsversuche zu unternehmen. Eine Art Ringkampf fand statt, bei dem der Mann, vorerst noch, im Vorteil war. Das ermöglichte ihm jene präparierte Decke, mit der er den Hund eng umschlossen halten konnte.

»Der ist ja wie wild! Der will unbedingt zu dir.«

»Das macht mich sehr glücklich«, versicherte sie dem Mann; und damit auch ihrem Hund. »Das geht aber nicht. Ich kann Muckel nicht in meine Arme nehmen. Meine Wunden erlauben mir das nicht.«

Da hatte der Mann einen spontanen Einfall. »Zeig ihm deine Wunden! Vielleicht vermag Muckel dann zu begreifen, warum er nicht gleich zu dir kommen kann.«

Die Frau – von wohltuender Umkompliziertheit – streifte also ihre Bettdecke zur Seite, um dann auf die stark wattierte rechte Seite ihres Unterleibs zu weisen. Dort vermischten sich hellrote Blutfarben mit gelbgiftgrünen Spuren von heftig riechenden Medikamenten. Muckel schnüffelte sich denen entgegen.

Und dann spürte der Mann, daß sich dieser Hund zu beruhigen begann. Er schien wieder sanft, ganz klein, zu werden; nichts als ein zärtlich anschmiegsames Geschöpf sein zu wollen. Wahrscheinlich wurde er dabei, zwingend deutlich, an seine eigene quälende Magen- und Darmoperation erinnert.

Jetzt erst wagte es der Mann, Muckel, immer noch in eine Decke gehüllt, direkt neben die Frau zu legen. Und dort verharrte der Hund, nahezu regungslos, mit unsagbar glücklichen Augen. Er legte lediglich seinen Kopf auf eine ihrer Hände, dann auf ihre Brust – so überaus sanft und zärtlich, daß die dabei Zuschauenden nur beglückt staunen konnten.

Und so unwahrscheinlich es sich auch anhören sollte: das war tatsächlich die einzige Zeitspanne im Leben dieses Hundes mit der Frau, in der sie tagelang voneinander getrennt leben mußten.

Ein paar Jahre später reisten sie wieder nach Italien. Diesmal hatten sie, gemeinsam mit einer befreundeten Familie, südlich von Ostia eine Art Kral mit kegelartiger Strohüberdachung in einer kleinen Siedlung gemietet. Hier gab es keinen besonderen Komfort – aber darauf legten weder Muckel noch seine Mitmenschen irgendwelchen Wert.

Von hier aus war Rom in kaum mehr als einer Stunde zu erreichen. Und so gedachten sie die verschwenderischen Möglichkeiten dieser einzigartigen Stadt voll zu genießen: die fünffachen Hügel, die zahlreichen Restaurants, die Prachtstraßen, den Petersdom, die Spanische Treppe, das Forum, Kolosseum, Pantheon. Doch eben – niemals ohne Muckel, *den Unvermeidlichen*, wie er von Freunden seiner Familie genannt wurde.

Dabei kam es zu Konstellationen, die den Mann wenig erfreuten, die er aber wohl hinnehmen mußte, um den familiären Frieden zu wahren. Da er die Stadt bereits von mehreren Reisen her sehr gut kannte, kam es zu folgendem Arrangement; sobald der Hund an einer ausführlichen Besichtigung nicht teilnehmen durfte, ob es sich nun um die Vatikanischen Sammlungen, die Katakomben, das

Etruskermuseum oder ähnliches allein für Menschen handelte – erfolgte eben so ein Besuch ohne Muckel und Mann.

Während also die anderen Familienmitglieder die Kostbarkeiten Roms zur Kenntnis nahmen, hielten sich die beiden in einem Restaurant in der Nähe auf, möglichst an einem Tisch im Freien. Der Mann trank heißen, schwarzen, ungesüßten Expresso und herben Frascatiwein, während der Hund nichtsprudelndes, ungekühltes Mineralwasser serviert bekam. Manchmal erhielt er aber auch hundert Gramm gekochten Schinken, möglichst salzlos, fettarm, aber stark duftend; oder bereits zerfließendes, also magenschonendes Speiseeis; bevorzugt Vanille und Schokolade.

»Du bist mir vielleicht einer«, sagte dann der Mann zu dem Hund; wobei er meinte: du bist wirklich unberechenbar! »Und ausgerechnet mit dir muß ich hier herumsitzen. Und wenn ich auch schon alles kenne, was die sich ansehen – ich wäre gerne mitgegangen.«

Muckel gähnte lediglich auf. Ruhig lag er zu Füßen des Mannes. Während der in stets mitgeschleppten Büchern blätterte; in denen des Ostpreußen Gregorovius und jenem des Münchners Raffalt; beide hatten dieses Rom wunderbar intensiv beschrieben. Zwischendurch blinzelten sich dann Hund und Mann auch mal an und blickten genießerisch um sich; sie betrachteten alles, was hier an ihnen vorüberflutete.

Dabei mischte sich einmal eine Dame, von einem Nebentisch, in dieses Idyll ein. »Erlauben Sie mir eine Bemerkung. Wäre es nicht besser gewesen, lieber Herr, wenn Sie Ihren Hund zu Hause gelassen hätten? Dort hätte der sich vermutlich wesentlich wohler gefühlt. Hier stört er doch nur.«

Der Mann entschloß sich zu einer gewissen

Höflichkeit: »Erlauben Sie mir, liebe Dame, das zu bezweifeln. Wohl mag es so aussehen, als fühle sich dieser Hund hier nicht sonderlich wohl – doch das täuscht. Der will nun mal stets dort sein, wo Menschen sind, die zu ihm gehören. Und das sollte wohl respektiert werden.«

»Sie«, sagte diese Dame, nunmehr bereits leicht schrill, »gefallen sich offenbar als humanistischer Schöngeist. Und das sogar noch auf dem Niveau von Hunden. Irritiert Sie das nicht?«

»Nein, Madame«, sagte er einfach, sogar ganz betont höflich. »Nicht im geringsten.«

Solche Romtage pflegten dann im Restaurant *Dar-Balena* in Ostia beendet zu werden. Dort wurden garantiert tagesfrische Meeresfrüchte serviert. Der dortige Besitzer beherrschte offenbar Küche und Restaurant zugleich – beides mit Souveränität; und ohne jede Speisekarte.

Bereits am dritten oder vierten Abend, als dieser doppelte Familienclan bei ihm eintraf, hatte er offenbar dessen zwischenmenschliche Beziehungen voll durchschaut und würdigte sie. Er registrierte: sechs Personen; also zwei Mütter, zwei Töchter, zwei Väter. Er arrangierte jedoch unverzüglich einen Tisch für acht Personen; und damit einen Platz für sich, damit er diese Gäste besser betreuen könne, und einen weiteren für den Hund.

Diesmal jedoch war nicht Muckel das auslösende Element für diese bevorzugte Behandlung, vielmehr die Tochter. Und das nicht nur, weil sie italienisch sprechen konnte, was jeden Italiener bei einem fremden Kind maßlos entzücken kann; sondern auch, weil sie, wie gemeinsam an Hand von Fotos bestätigt werden mußte, eine große Ähnlichkeit mit seiner Tochter besaß.

Und weil diese Tochter offenbar den Hund sehr liebte, entwickelte auch der Meister von Küche,

Keller und Restaurant freundliche Gefühle für dieses Tier. Also wurde Muckel geradezu verschwenderisch versorgt. Der Chef dieses Hauses war wohl ein Anhänger der Devise: Mädchen dürfen nicht zu viel essen, weil sie sonst gleich fett werden; doch sie freuen sich auch, wenn ihre Tiere sich wohlfühlen.

Muckel erhielt also hier das Beste, in kleinen Portionen: gebratene Leber, gebackenen Lammrücken, gesottene Edelfische. Bereits nach weiteren vier oder fünf Besuchen dieses Restaurants stellte sich heraus: dieser ihr Hund nahm ganz erheblich an Gewicht zu.

»Sollten wir etwa«, meinte die Frau besorgt, »irgend etwas falsch gemacht haben?«

Bei dieser Italienreise kam es dann auch zu einem Erlebnis, das normalerweise nicht zu einem Hundeleben gehört. Muckel durfte, gemeinsam mit Frau und Mann, ein Kino besuchen. Was sich hier fast ohne Schwierigkeiten ermöglichen ließ.

Dabei handelte es sich um ein Kino, das wie eine kleine Arena unter freiem, nächtlichem Himmel aussah. Dort standen, bei angenehmsten Temperaturen, Bänke für die Besucher bereit, die diese nach Belieben besetzen konnten. Sozusagen mit Kind und Kegel.

Und was die auch immer mitbrachten, war willkommen. Sofern nur dafür gezahlt wurde. Dabei schlüpften eben auch, unterhalb der Kontrollmöglichkeit des Kassierers, einige Hunde mit in dieses nächtliche Freilichtkino.

Damals wurde auf der Leinwand ein italienisches Originalopus dargeboten – optisch ziemlich geschickt zubereitet: Außerplanetarische Lebewesen tauchen bei Florenz auf, also in der Toscana. Und denen gelingt es, Menschen, Schweine und Enten heftig zu beunruhigen; etliche Polizeikräfte auch.

Sie alle schrien, schnatterten, grunzten einander an; aneinander vorbei. Ein überaus tierisch-lautstarker Effekt, der Muckel jedoch ziemlich gleichgültig ließ – das war eben nicht real, sondern künstlich erzeugt; wie im Fernsehen. Muckel lag Frau und Mann zu Füßen, schien der Leinwand entgegenzublinzeln und dabei in ein großes, anhaltendes Gähnen zu verfallen.

Doch in diesem Freilichtkino war er nicht das einzige Hundewesen. Und einige andere reagierten auf die aus Lautsprechern hervorbrüllenden tierischen Tonfilmgeräusche überaus beunruhigt. Plötzlich schrie eine weibliche Stimme, schrill und deutsch in die spätabendlichen Darbietungen hinein: »Man hat mich gebissen – sogar benäßt! Unter uns sind Hunde! Müssen wir uns das bieten lassen?«

»Schweinerei!« rief nun ein kraftvoller Baß; mit eindeutig freudiger Provokationsbereitschaft in das Halbdunkel hinein. »Einfach unerhört! Sollte da etwa einer eine Dame angepinkelt haben?«

Vorgänge jedoch, an denen Muckel gewiß nicht beteiligt gewesen war. Was sein Mann fast zu bedauern schien. Doch wegen des vielfältigen Alarmgeschreis wurde die Filmvorführung abgebrochen, das große Licht eingeschaltet und über Lautsprecher ertönte eine Stimme, die verkündete:

»Alle Hunde habe sich hier unverzüglich zu entfernen!«

Worauf sich der Mann, ohne zu zögern, mit großer Selbstverständlichkeit erhob. »Na – dann«, sagte er zu Muckel, »müssen wir wohl mal wieder.«

Womit abermals eine paradiesartige Vertreibung stattfand. Was sie jedoch, Hund und Mann, nicht sonderlich zu beeindrucken schien. Nun war es, als fingen diese beiden an, sich an die Seltsamkeiten dieses Daseins zu gewöhnen.

6.
Weitere sonderbare, wohl unvermeidliche Erfahrungen

So ein Hund, wird gewöhnlich vereinfachend festgestellt, ist ein Haustier, das man zwecks Bewachung eines Besitzes abrichten kann. Doch sobald einem solchen Tier, wie in diesem Fall, die völlig freie Entscheidung darüber überlassen wird, wie es leben will, entdeckt man zumeist einen treuen Menschenbegleiter.

Muckel begriff die in diesem Hause dominierenden Spielregeln sehr schnell – der war eben, meinte der Mann, raffiniert genug, sich den Menschen anzupassen. Das wohl wichtigste Gebot: jeder durfte, im Rahmen der Familie, sein eigenes Leben leben; zugleich jedoch hatte stets der eine für den anderen da zu sein. Woraus sich, bei diesem kleinen Kerl, eine ganz besondere Art von aufmerksamer Anteilnahme entwickelte. Er signalisierte seinen Mitmenschen: »Da bin ich – kann ich irgend etwas tun?«

Doch sobald Muckel zu wittern begann, daß eine längere Reise bevorstand, verlor er viel von seiner sonst so höflichen Zurückhaltung. Dann reagierte er nicht nur überaus besorgt, vielmehr auch nach Ansicht des Mannes, reichlich besitzergreifend. Diesem Hund entging eben so gut wie nichts; schon gar nicht gepackte Koffer.

Fast könnte man sagen: bei derartigen Vorbereitungen belauerte Muckel seine Mitmenschen mit geradezu fiebrigem Bemühen. Dabei kam es sogar vor, daß er sich mitten in eins dieser offenen, noch unvollständigen Gepäckstücke legte – um ja nicht vergessen zu werden.

Die Frau versuchte ihn jedesmal zu beruhigen: »Nur keine Sorge, mein Kleiner – wo wir sind, bist auch du! Du kommst also mit!«

Was der vermutlich ganz richtig verstand, aber eben nicht gleich glaubte. Denn sein stets fragender Seitenblick auf den Mann sollte wohl besagen: nun ja, der scheint ja durchaus bereit, eine Menge für seine Frau zu tun – aber auch für mich? Dann erlebte er, daß auch der Mann ihm zunickte – recht verbindlich; und so war es auch gemeint.

Um Muckel aus seiner permanent steigenden Unruhe bei derartigen Vorgängen zu erlösen, tat die Frau etwas recht Wirkungsvolles. Sie zeigte ihm sein Halsband für besondere Gelegenheiten; das war damals ein dekorativ rotes. Und das legte sie auf einen der gepackten Koffer; und dazu noch seine ganz lange Spaziergangleine aus Nylon. Das war eine eindeutige Demonstration seiner Dazugehörigkeit, die Muckel sofort begriff und die ihn unverzüglich beruhigte.

Selbstverständlich kam er mit! Diesmal nach Jugoslawien. Dort, im Norden jenes Landes, in Nähe der italienischen Grenze, hatte der Mann ein Haus für einen ganzen Monat gemietet. »Damit wir endlich ganz unter uns sind, völlig ungestört.« Mithin also nicht eingeschränkt – durch Hotelprinzipien, Restaurantgebote und Strandwächterselbstherrlichkeiten.

Dieses Haus am Mittelmeer war nicht undekorativ, und gut bewohnbar. Dort stand für jeden der Reisemenschen ein eigenes Schlafzimmer zur Verfügung. Und für sie alle gemeinsam existierte eine geräumige Wohnhalle, die in eine große Sonnenterrasse überging. So was gab es damals noch – in dieser nun schon lange zurückliegenden Zeit; vor kaum mehr als einem Jahrzehnt!

Doch soviel verschwenderischer Raum für die

Ferienfreuden einer kleineren Familie schrie geradezu nach einer gewissen Urlaubsgerechtigkeit. Zumal diese Frau Menschen, die ihr gefielen, immer mitgenießen lassen wollte. Also rief sie die Freundin mit ihrem Sohn herbei. Und dazu noch ihre Schwester mit Schwager und Kind. Bald waren hier neun Personen versammelt – einschließlich Muckel.

Das nahm der Mann ziemlich gelassen hin. Muckel jedoch, der erklärte Familienhund, verfiel entzückt in heftigste Betreuungsfreuden. Denn so wunderschön groß war sein Clan noch nie gewesen.

Bald kam dann noch eine weitere, zehnte Person hinzu. Denn der Mann hatte sich den Einfall geleistet, für dieses Ferienhaus auch noch eine Köchin des Landes zu verpflichten. Glaubte der doch nach dem Prinzip leben zu müssen: Wohin du auch immer kommst – trinke die dort herangereiften Weine; labe dich an den dort üblichen Speisen. Versuche also möglichst so zu leben, wie die Menschen, denen du in der Fremde begegnest.

Zunächst lief dann auch alles ohne jede erkennbare Komplikation ab. Die Köchin war eine fröhliche Person, leicht rundlich und stets freundlich; sie versorgte alle ihr Anvertrauten hingebungsvoll und einfallsreich. Bis dann dieses ausgeprägt mütterliche Wesen merkte, wer da der eigentliche, wenn auch heimliche Mittelpunkt der von ihr zu betreuenden Familie war. Dieser Hund!

Und der, fand sie bald heraus, war kein schneller, bedenkenloser Fresser – der liebte es vielmehr, fast sorgfältig genießend seine Auswahl zu treffen. Das gefiel ihr. Und dann war es, als koche sie allein für ihn.

Was Muckel unendlich genoß. Doch eben das spürte man nicht nur, das sah man bald auch. Erklärte Zuneigungen von Köchinnen pflegen nunmal ihre ganz besonderen, eindeutigen Folgen zu zeitigen.

Zum Glück jedoch befand sich in unmittelbarer Nähe dieses Hauses ein Badestrand, zu dem eine lange, leiterartige Holztreppe führte. Menschen bestiegen sie vorsichtig. Kleinkinder mußten über sie getragen werden. Muckel jedoch bewältigte dieses Baugebilde geradezu spielend.

Mehrfach eilte er dort hinunter, und dann wieder hinauf. Bis eben die von ihm betreuten Menschen sicher am sogenannten Sandstrand angekommen waren. Was geradezu als Hundehochleistungssport bezeichnet werden konnte. Die Frau registrierte das stolz – der Mann zumindest anerkennend.

Der Strand, den sie hier benutzen durften, war vergleichsweise klein, also überaus beengt. Er ermöglichte keinen Auslauf, nicht einmal muntere Bewegungsspiele; da war gerade genug Platz für die Familienmitglieder, um sich in der prallen Sonne auszustrecken. Schroffe Felsformationen umgaben sie kesselartig. Und das Meerwasser sah bereits damals nicht gerade sonderlich sauber aus. Daumengroße Ölflecke waren im kargen Sand erkennbar.

Doch einen Muckel vermochte so etwas nicht im geringsten zu beeindrucken. Der war kein Badehund; und Strandverschmutzungen wich er aus. Doch dabei seinen ganz großen Familienclan so dicht vereint nebeneinander vor sich zu sehen, entzückte ihn sichtlich. Worauf er begann, sich auf seine Weise zu belustigen; nun völlig unabgelenkt und ungestört.

Er hüpfte die Felswand hoch – von Stein zu Stein, von einer kleinen Plattform zur nächsten – mit geradezu kühnen Sprüngen, die von verblüffender Sicherheit waren. Hier entdeckte er offenbar eine ganz neue Möglichkeit; und die genoß er, erkennbar freudig.

Die Frau – selbstverständlich sie – bemerkte dieses ungewöhnliche Spiel zuerst. Sie stieß den Mann aus seinem nachmittäglichen Halbschlaf. »Schau dir das an!«

Was der Mann dann auch tat. Zuerst nicht gerade sonderlich bereitwillig, dann jedoch schnell und heftig beunruhigt. »Wer ist denn das? Doch nicht etwa dein Hund? Der könnte sich dabei ein Bein brechen, wenn nicht sogar zwei. Und was dann?«

»Aber ich bitte dich – dieser kleine Kerl ist doch absolut sicher.«

»Sollte der sich etwa auch noch für eine Art Gemse halten? Also – bei allem Wohlwollen, meine Liebe, der benimmt sich manchmal reichlich eigenwillig; gelinde gesagt.«

»Der«, stellte seine Frau bewundernd fest, »ist absolut einzigartig!« Worauf sie dann, ganz treu vorsorgendes Familienoberhaupt, sachlich feststellte: »Falls dennoch dabei irgendetwas passieren sollte – die Adresse des nächsten Tierarztes ist mir bereits bekannt. Die eines weiteren auch.«

Eine Vorsorge, die jedoch diesmal, glücklicherweise, nicht notwendig war. Denn Muckel erwies sich als Kletterer und Springer von erheblichen Graden. Diese Felsenwand wurde zu einem bevorzugten Spielplatz – auch für die Kinder. Sogar für einige Erwachsenen. Für den Mann nie.

So kam dann dieser offenbar bergbesteigungssichere Hund zu einem seiner recht seltsamen Beinamen. Frau und Freundin nannten ihn *Muckel – die Gemse;* oder eben vereinfacht: *Gemsenmuckel.* Was dieser Hund, leicht geschmeichelt, voll zu verstehen schien – wie eben immer, wenn er irgendetwas verstehen wollte.

Inzwischen traf selbst in diesem Ferienidyll Post aus der Heimat ein. Eine gute Nachbarin, die das verlassene Haus der Familie betreute, hatte an sie geschrieben. Doch die Lektüre dieses Briefes schien der Frau nicht besonders zu gefallen.

»Irgend etwas Unangenehmes?« fragte der Mann.

»Nicht unbedingt – Haus und Garten sind in Ordnung.«

»Na bestens! Aber dennoch scheint dich irgendetwas zu beunruhigen, meine Liebe.«

»Ja, und zwar ziemlich. Denn dieser entsetzlich massive Schäferhund im Seeschlößchen, der immer so fürchterlich bedrohliche Laute ausstößt, sobald er Muckel sieht, hat Verstärkung erhalten – durch eine Schäferhündin von ähnlichem Kaliber. Und die beiden zusammen sollen entschlossen angriffswütig sein. So etwa wird behauptet, daß sie bereits mehrfach ausgebrochen seien. Dabei haben sie etliche kleinere Hunde angefallen und sie böse zugerichtet.«

»Nichts als eine bereitwillige Vermutung«, meinte der Mann besänftigend. »Derartige Greuelmärchen werden immer wieder behauptet – ohne daß sie bewiesen werden konnten. Außerdem, ich bitte dich – was geht uns das jetzt an? Wir befinden uns nun mehrere hundert Kilometer davon entfernt.«

»Aber bald werden wir wieder in unserem Dorf sein.«

Eine Besorgnis, die sicher nicht ganz unberechtigt war. Denn ihr Mann war eben, gemeinsam mit Muckel, stets zu möglichst schönen Spaziergängen bereit, sobald sie sich in heimatlicher Umgebung befanden. Die würden also selbst vor der nunmehr verdoppelten Gefahr nicht zurückschrecken. Eine Erkenntnis, die sie sehr traurig machte.

Doch gleich am nächsten Tag wurde versucht, die um ihren Hund besorgte Frau abzulenken. Die Freundin schlug eine Bootsfahrt entlang der Küste vor. Das war als ein ganz besonderes Geburtstagsgeschenk für die Frau gedacht. Wobei der Mann, nach intensiven finanziellen Kalkulationen, feststellte: so was ließe sich gerade noch ermöglichen. Zumal es sich bei dem Bootsbesitzer um einen Bruder ihrer Köchin, vielmehr der Köchin von Muckel, handelte. Der Bruder fischte zumeist in den Nächten, war also zu einer ziemlich preiswerten Nachmittagsreise bereit.

Also tuckerte er dann mit seinem Fischkutter herbei, hielt an der Familienbucht, legte dort einladend ein Brett aus. Wobei die Frau einen ihrer erklärten Lieblingswünsche in Erfüllung gehen sah. »Kommt alle mit!« rief sie ihren Mitfamilienmenschen zu; überrascht und glücklich.

Und sie alle begaben sich auf dieses schwankende, nahezu betäubend streng nach Fisch riechende Motorboot. Zuletzt der Mann, gemeinsam mit Muckel – und beide mit erheblichem Zögern.

Und dann stellte sich der gleiche Effekt ein, wie damals in Venedig. Der Hund fand keinerlei Gefallen an motorisch bibbernden Booten. Er schien sie vielmehr heftig zu verabscheuen. Und das demonstrierte er unverzüglich.

Er tat das gewiß sehr eigenwillig; aber vielleicht auch mit wohlberechneter Übertreibung; so was war bei ihm niemals auszuschließen. Doch wie auch immer – Muckel begann klagend vor sich hinzumiefen; schien sogar bereit, von diesem betäubenden Motorengedröhn weg, ins Meer zu springen. Immerhin: Schwimmen konnte er wie ein Seehund; das hatte sich inzwischen herausgestellt.

Doch der Mann umgriff ihn besorgt und sagte zu seiner Frau: »Ich glaube, der will aussteigen – gemeinsam mit mir.«

»Aber das kann auch ich tun!« versicherte die Frau sofort.

Auch die anderen zeigten sich gern dazu bereit. Und das, obgleich sie wußten: dieser Hund vertraut sich für längere Zeit derzeit allein zwei Menschen an, bevorzugt der Frau, und, wenn es unvermeidlich schien, dem Mann. Eine dritte Person kam erst später hinzu – die heranwachsende Tochter.

Diesmal jedenfalls sagte der Mann zu seiner Frau. »Laß mich mit Muckel an Land gehen. Dies ist dein Ausflug, der gehört allein dir und du sollst ihn genießen.« Und zu dem freundlichen Motorfischermenschen sagte er: »Fahren Sie, bitte, zum Strand – legen Sie dort an.« Worauf der Fischer sofort die Richtung änderte.

»Wenn du aussteigst, mit Muckel«, äußerte die Frau entschlossen, »komme ich mit euch!«

»Was gewiß nicht sein muß, meine Liebe.« Er wußte inzwischen, wie er solche Äußerungen, wenn sie ihren Hund betrafen, einzuschätzen hatte. »Du solltest uns beiden«, meinte er einfallsreich, »einige gemeinsame, geruhsame Stunden gönnen. Damit wir uns, vielleicht, doch noch ein bißchen näher kommen können.«

Das mußte ganz in ihrem Sinne sein; da war er sicher. »Dann laßt es euch gut gehen!« rief sie ihnen zu. Nunmehr war sie unbeschwert bereit, ihre Küstenreise mit den Familienfreunden fortzusetzen.

Mann und Hund, am Felsenstrand ausgesetzt, trotteten also traulich vereint dahin. Sie begaben sich auf einer harten, staubigen, steinigen Straße, was sie aber kaum bemerkten, zu ihrem Ferienhaus mit seiner Köchin. Und die schien bereits auf sie gelauert zu haben.

Auf dem langen Weg zu den dort bereitstehenden Fleischtöpfen sagte der Mann zu dem Hund:

»Offenbar, mein Kleiner, ersparst du mir nichts. Das mag ja, an sich, dein gutes Recht sein – doch immerhin wünsche auch ich eine Art Eigenleben zu führen. Und bei allem Entgegenkommen meinerseits – meiner Frau zuliebe – so was solltest du niemals übertreiben.«

Diesen Muckel beherrschte, so verträglich und anpassungsfähig er auch war, lebenslänglich eine schon früh aufgetretene Abneigung: Er haßte jede Sorte von Lärm! Er verabscheute jedes menschliche oder tierische Vordergrundgebrüll; und technische Verstärkungsmöglichkeiten für diese Geräusche regten ihn ungemein auf. Er gehörte nunmal zu den leiseren Lebewesen.

Manchmal bellte natürlich auch er – und dann sogar mit überraschend kräftiger, rauhkehliger Stimme. Doch das, was man gemeinhin einen *Kläffer* nennt, war er nie. Er mußte nicht laut werden, um sich Beachtung zu erzwingen. Er brauchte sich nicht als *armer Hund* zu fühlen; und sich auch nicht als *Wächter* zu betätigen. Doch ein *Warner* war er durchaus – wenn er ein hausfremdes Wesen erblickte oder witterte, stieß er kurze Knurrlaute als Signal aus.

Sonderlich fordernd waren seine Lautgebilde selten, doch ermunternd-hinweisend gelegentlich durchaus. Etwa wenn er sich in die Nähe der Wasserleitung hockte, um damit kundzutun, daß er trinken wolle, röhrte er lediglich zwei kurze Töne hervor, die sich anhörten wie: Na – los! Seine wundersamsten, ausdauerndsten Lautmalereien traten erst in seinem späteren Leben in Erscheinung. Die benötigte er für sein freundschaftlich hochbegeistertes Begrüßungszeremoniell, über das noch zu berichten sein wird.

Doch selbst seine Empfindsamkeit Lärm gegenüber kannte eine Ausnahme: Musik, in jeder Darbietungsform, auch fast in jeder Lautstärke, ließ er sich gefallen. Im Hause, bei Gesellschaften, ja sogar bei Freudentänzen hockte er höchst aufmerksam und mitgenießend da. Dann betrachtete er blinzelnd die Menschen um sich, deren Bewegungen, deren Gesichter – besonders intensiv natürlich das der Frau.

Doch sobald irgendwo knalliger Lärm produziert wurde – ob nun in Silvesternächten, bei Prozessionen, während nächtlicher Sommerfeste oder etwa bei jenen Veranstaltungen, die sie Feuerwerk nannten – versuchte Muckel geradezu panikartig zu flüchten. Möglichst zuerst zu seiner Frau. Wenn die nicht gleich erreichbar war, stürzte er sich eben dem Mann entgegen, um den dann kraftvoll in das nächste Haus zu zerren; und dort möglichst kellerwärts.

Jäger, die Flinten mit sich trugen, bellte er vorsorglich an – kurz, aber eindeutig warnend. Eine heftig zuknallende Tür konnte ihn fast verstört aufschrecken lassen. Und geradezu quälende Unruhe überfiel ihn, sobald er ein Gewitter heraufkommen spürte – lange bevor irgendjemand sonst etwas davon ahnte. Keiner Wetterstation konnten präzisere diesbezügliche Vorhersagen gelingen.

All diese Dinge begannen den Mann zu beschäftigen. Er versuchte, darüber nachzudenken; um den Hund besser zu verstehen, um ihm helfen zu können. Natürlich nur, sagte er sich, wegen der Frau. Dabei kam er dann auf folgenden Einfall:

Sobald irgendwo so ein prasselndes Feuerwerk abgebrannt wurde – etwa an den Seen bei Starnberg oder Lugano – schlüpfte der Mann mit Muckel, den er noch lange nicht als *seinen* Hund bezeichnen durfte, in eine Telefonzelle, von denen es auf jeder Promenade Dutzende gab. Deren Türen konnte man schließen, wohltuend dicht.

Womit so gut wie alle Belästigungsgeräusche verbannt waren. Lediglich der Anblick hellbuntfunkelnder, sternartig aufleuchtender und abwärtsschweifender Leuchtkörper blieb ihnen erhalten; doch das penetrante Aufwärtszischen, das schußartige Zerplatzen dieser Feuerwerkskörper, die noch dazu infernalisch stanken, blieb ihnen in so einer Telefonzelle erspart.

»Na – zufrieden, Hund?«

Worauf der zustimmend zu nicken schien.

Später verlor dann Muckel sein Gehör. Aber da hatte er bereits das gewöhnliche Lebensalter eines Hundes weit überschritten. Als er mehr als dreizehn Jahre alt geworden war, ließ dieses Sinnesorgan erheblich nach. Was, um aufrichtig zu sein, kaum sonderlich beklagenswert war, eigentlich eher erlösend. Denn nun störten ihn weder herannatternde Autos, noch knalliges Feuerwerk oder abknallbereite Jäger. Selbst Gewitter waren ihm fortan gleichgültig.

Auf so was mußte er nun nicht mehr achten. Zumal endlich in seinem Dasein so gut wie alles klar war. Jetzt verließ ihn niemand mehr. Viele Jahre hatte er sich mit den seltsamsten Anstrengungen darum bemüht, diese geborgene Sicherheit zu erreichen. Nun war es ihm geglückt.

Das alles verlieh ihm ein Höchstmaß an Gelassenheit. Nun begann er ruhig zu schlafen; selbst dann noch, wenn er sich allein in einem Raum ihres Hauses befand. Besonders zufrieden dann, wenn er auf einem Kleidungsstück der Frau liegen konnte oder später sogar auf einem des Mannes.

Doch bis zum letzten Tag in seinem Leben – es war der 13., ein Freitag im Januar – blieben ihm die wichtigsten Sinnesfunktionen erhalten. Er konnte sehen, was um ihn vorging; speisen, was ihm, immer sorgfältiger ausgewählt, vorgesetzt wurde; und er konnte riechen. Erriechen auch mit fast geschlossenen Augen: die Frau, den Mann, deren Tochter – das Haus, in dem sie lebten.

Er war nun nahezu vierzehn Jahre alt. Und als er sie dann verließ, ganz still und sanft, schien das kein endgültiger Abschied zu sein. Jetzt fühlte sogar der Mann ganz deutlich: »Solange wir zu leben haben, lieber Muckel, wirst auch du leben.«

Doch was alles mußte geschehen, damit es zu einem derartigen Bekenntnis kommen konnte?

Da war etwa die Reise in die Provence, jene Gegend, in der einst van Gogh und Cézanne gemalt hatten. Dort, in der Nähe von Aix, gedachten sie sich ein kleines Ferienhaus zu suchen, abseits von dem großen Rummel, nicht zuletzt Muckels wegen. Denn dessen stark ausgeprägter Spaziergangsfreude war es zu verdanken, daß seine Menschen immer intensiver Anteil an den Schönheiten der Natur zu nehmen vermochten, an deren Formenpracht und der Vielfalt von Landschaften.

Dazu kam ihr erklärtes Verlangen, sich von möglichst allen Hotelgeboten und Strandverboten zu befreien. Dazu brauchten sie ein Dach über dem Kopf, einen Platz vor dem Haus, ausreichenden Auslauf für den Hund, dazu vielleicht noch ein paar Bäume – auch für den Hund, aber auch als Schattenspender für sie selbst. Das war das erhoffte Ziel.

Frau und Freundin fuhren in einem Auto voraus – und mit ihnen oder vielmehr zwischen ihnen, Muckel. Der Mann flog hinterher; von München über Paris nach Marseille. Dort wurde er von den menschlichen Geschöpfen seiner Welt herzlichst begrüßt – jedoch nicht von diesem Familienhund. Der stand vielmehr steif und mürrisch im Flugplatzgebäude und sah ihn groß an.

»Was ist denn mit dem?« verlangte der Mann sofort zu wissen. »Der sieht nicht gerade ausgesprochen glücklich aus.« Was ihm die aufmerksam, allein ihm geltenden Blicke des Hundes zu bestätigen schienen.

»Der hat sich«, meinte die Frau, »wohl noch nicht ganz an das Klima gewöhnt. Vermutlich gibt es hier zu viel Sonne für seinen Pelz.«

Doch diese Begründung leuchtete dem Mann nicht ein. Denn Muckel pflegte sich erfahrungsgemäß gerne in die Sonne zu legen – sogar auf vorgewärmte Steine oder in bereits heiß gewordenen Sand. Das also konnte es wohl kaum sein, was diesen Hund so ausgesprochen mürrisch erscheinen ließ.

Den wirklichen Grund glaubte der Mann bald herausgefunden zu haben. Frau und Freundin waren mit Muckel in einem erstklassigen Hotel abgestiegen. Dort wurde seine Anwesenheit, auch im Speisesaal, diskret geduldet. Hatte es sich doch, zur allgemeinen Erleichterung sämtlicher Sorten von Hotelpersonal, schnell herausgestellt: dieses Tier war wie ein kleiner, schöner noch dazu erfreulich lautloser Schatten.

Doch dann dies: die Zimmer von Frau und Freundin befanden sich im fünften Stockwerk. Um sie zu erreichen, war es notwendig, sich in einen uralten, gurgelnden und scheppernden Aufzug zu begeben – der jeden Augenblick abwärts zu donnern drohte. Ein Vehikel, dem sich wohl niemand gerne unnötig anvertraute.

Das alles bedeutete für Muckel, um den sich der Mann immer mehr Gedanken machte, Einschränkungen, Unbequemlichkeiten, Gefährdungen. Die wohl ganz einfach zuviel waren. Zuviel für dieses empfindsame Tier.

»Tagsüber seid ihr also unterwegs. Und die

Abende verbringt ihr in diesem Hotel, dessen Küche gewiß ganz ausgezeichnet ist. Danach begebt ihr euch in eure Zimmer. Das jedoch, wie ich wohl vermuten muß, ohne noch vorher einen kleinen gemeinsamen Nachtspaziergang unternommen zu haben. Und genau das ist Muckels spezielles Problem.«

»Der ist so wunderbar anpassungsfähig«, versicherte die Frau. Und die Freundin stimmte lebhaft zu. »Dessen verständnisvolle Geduld ist absolut einzigartig.«

Dabei speisten sie vorzüglich – erlesene Meeresfrüchte im eigenen Sud. Das geschah jedoch nicht mit ungetrübtem Genuß. Denn des Mannes Gedanken waren dabei mit wesentlich anderen Dingen beschäftigt. Zumal sich Muckel langsam unter dem Tisch hervorarbeitete, um sich in Sichtweite des Mannes zu begeben. Vor ihm legte er sich hin und blinzelte ihn neugierig, aber auch hoffnungsvoll an.

»Ihr kommt also hier am Abend an«, meinte er zu Frau und Freundin, wie von diesem Hund inspiriert. »Dann verbringt ihr, was euch gegönnt sei, einige Stunden an der Bar und im Speisesaal. Doch danach begebt ihr euch auf eure Zimmer, um ungestört zu schlafen. Vorher aber oder auch zwischendurch benutzt ihr eine Toilette. Und eben das kann dieser Hund nicht!«

»Bitte«, mahnte ihn die Frau, nun bereits bei der Nachspeise angelangt – geeiste Orangen –, »dramatisier so was nicht! Auch wenn du dafür neuerdings ein gewisses Verlangen zu entwickeln scheinst, jedenfalls im Hinblick auf unseren Muckel; was mich natürlich freut. Dennoch solltest du das aber bitte nicht übertreiben.«

»Doch das, meine Liebe, ist hier der springende Punkt. Wenn ihr euch, was ganz in meinem Sinne ist, jede Sorte von Bequemlichkeit leistet – dann solltet ihr die aber auch eurem Hund gönnen.«

»Was meinst du denn damit«, wollte sie erstaunt wissen. »Klär mich mal auf.«

Das versuchte er dann auch; und zwar anhand der Erlebnisse eines seiner sechs bevorzugten, geradezu geliebten Autoren, der des Amerikaners John Steinbeck. Der war auf den Gedanken gekommen, gemeinsam mit einem Hund, einem blaufarbigen Königspudel, sein Land zu erkunden. Daraus war dann das einzigartige Buch *Meine Reise mit Charlie* entstanden. Doch eben dabei kam es, bei diesem Hund, zu einer geradezu lebensgefährlichen Operation – aus sehr eindeutigen Gründen.

Ein Unheil, meinte der Mann fast beschwörend, das vermieden werden muß. Denn so ein Tier, wie eben unser Muckel, hält sich zurück; versucht so manches zu verdrängen, selbst elementarste Bedürfnisse. »Um nunmal – Pardon – ganz deutlich zu werden: Der pinkelt also nicht, selbst nach noch so vielen Wartestunden, in irgendein Hotelzimmer!«

»Hat der noch niemals!«

»Wird der wohl auch nie – so wie der veranlagt ist. Doch eben das kann seiner Blase erheblich schaden, schließlich sogar zu schweren Operationen, zu einem vorzeitigen Tod führen. Erlaube mir, dir das zu ersparen.«

Das schien sie einzusehen, auch ihre praktischen Folgerungen aus diesen Erkenntnissen zu ziehen. Denn gleich am frühen Morgen des nächsten Tages weckte sie ihn. »Es könnte sein, daß unser Muckel jetzt mal austreten muß. Was du ihm doch gewiß ermöglichen willst.«

Der Mann wollte sich das nicht zweimal sagen lassen. Zumal sich der hellhörige Muckel bereits von seiner Schlafdecke erhoben und sich morgenspaziergangsfreudig zur Tür begeben hatte. Dort stand er erwartungsvoll.

Dann jedoch, als sie im Korridor angekommen waren, zog der Hund seinen Begleiter an seiner Leine mit sich, aber nicht auf das tückische Monstrum von Fahrstuhl zu, vielmehr an dem vorbei, der Treppe entgegen. Der Mann nahm auch das noch hin. Fast stolpernd folgte er dem graziös die Stufen hinabhüpfenden Muckel – fünf Stockwerke abwärts.

Unten angekommen, stürzte sich der Hund ins Freie – gleich zur nächsten Ecke, dann eilig zu einem Baum in der Nähe, schnell beharrlich weiter, den zahlreichen Brunnen von Aix entgegen. Dort blickte er verlangend hoch, wurde auf den Rand gehoben, behutsam im Gleichgewicht gehalten. So konnte er genießerisch und mit Ausdauer von dem hervorsprudelnden Wasser schlürfen.

Nachdem so ein erster Teil dieser Morgenveranstaltungen absolviert worden war, ließ sich der Mann auf einem Mauervorsprung nieder. Der Hund hockte sich vor ihn hin. Eine frühbesonnte Viertelstundenpause von großer Geruhsamkeit schien sich zu ergeben.

Und hier sprach dann der Mann zu diesem Hund, der ihn, wenn er wollte, durchaus zu verstehen schien – ihm zumindest immer intensiver zuhörte. »Also, mein lieber Kleiner – du mußt nicht etwa annehmen, daß ich so was ungerne tue. Auch wenn das nicht ganz gewöhnlich ist; doch um diese Tageszeit ist es sehr schön hier. Und sie« – also die Frau – »ist ja immer für dich dagewesen – warum sollte ich sie da nicht ein wenig entlasten?«

Auf diese Erklärung schien Muckel positiv zu reagieren – er zog jedenfalls seine arteigenen Folgerungen daraus. Er brach die Ruhepause ab und wieselte weiter – von Baum zu Baum, wobei er Platanen bevorzugte, und von Brunnen zu Brunnen. Und gelegentlich tranken sie beide von den kühlen, quellklaren Wassern.

Bald wirkte der Hund überaus zufrieden – ja zutraulich und dankbar. Um derartige Gefühle zu demonstrieren, hatte Muckel eine ganz besondere Geste entwickelt. Nicht etwa, daß er ergeben Herrenmenschenhände leckte; vielmehr stieß er seinen dicken Kopf sanft, doch deutlich spürbar, seinem Menschenfreund entgegen.

In solchen Augenblicken war der Mann sich ganz sicher: wohl machte es einige Mühen, einen Hund in die Ferien mitzunehmen – doch die gemeinsamen Freuden ließen so etwas schnell vergessen. Und dann noch eins: jedes mitfühlsame Eingehen auf die zumeist sehr schnell zu erledigenden Bedürfnisse eines Tieres bedeutete ganz einfach dessen Lebensverlängerung.

Was in diesem Fall exakt zutraf. Denn so gefährdet dieses Muckelleben auch permanent gewesen sein mochte, so mußte er doch niemals unter irgendwelchen, gewiß quälenden Blasenstörungen leiden.

Noch unmittelbar vor seinem Lebensende, bereits von letzten Qualen gezeichnet, er schien nur noch hilflos einherzutaumeln, leistete er es sich nicht, sich in seinem Haus zu erleichtern. Er ließ sich ins Freie transportieren, mitten in ein naßkaltes Schneetreiben.

Dort damals in Aix und Umgebung sonnten sie sich; träge und gemütlich. Sie erforschten die Umgebung, verspeisten gemeinsam mitgenommene Leckerbissen unter Olivenbäumen, in dieser Landschaft, in der sie Bilder von Cézanne wiederzuerkennen meinten. Und der Hund nahm an ihren Freuden willig Anteil.

Zugleich aber schienen sich in ihrem bayrischen Heimatdorf weitere Katastrophen anzubahnen. Denn dort war wohl inzwischen, wie ihnen berichtet wurde, der gigantische Schäferhund vom Seeschlößchen gestorben. Jedoch nicht, ohne eine nicht minder machtvoll wirkende Schäferhundfrau zu hinterlassen. Und noch dazu: einen ihm absolut ebenmäßig erscheinenden Schäferhundsohn, der offenbar wie versessen darauf war, in die Fußstapfen seines Vaters zu treten.

Und eben das war – zumindest für alle kleineren Hunde in der näheren und weiteren Umgebung – eine unvermindert lautstark geäußerte Bedrohung. Wozu auch Muckel, zwangsläufig, gehörte. Nach dem schienen die zu schreien, vernichtungsbereit.

»So was muß unbedingt vermieden werden«, forderte die Frau entschlossen. »Unseren Muckel dürfen wir niemals solchen Gefahren aussetzen!«

»Es könnte ja auch sein, daß derartige Vernichtungsdemonstrationen nichts als Theaterdonner und unsere Vermutungen völlig falsch sind«, meinte der Mann, zögernd.

»Ich jedenfalls will es nicht darauf ankommen lassen, daß unser Muckel womöglich von diesen jagdentschlossenen, verteidigungswütigen Monstren angegriffen und zermanscht wird. Dagegen muß was getan werden. Bist du dazu bereit?«

7. Wunschträume können in Erfüllung gehen

Die Suchaktionen der Familie, nach einer kleineren Behausung im Süden, gingen weiter. Dabei sollte es sich um eine Unterkunft handeln, in der sie ungestört etliche Wochen in jedem Jahr verbringen könnten – ohne Reglementierungen, in voller Ruhe, naturnah. Gemeinsam mit Freunden, umgeben von Tieren.

Dabei stellte sich heraus: die Provence war leider nicht in einer Tagesreise zu erreichen, also zu weit entfernt. Ein stattliches Haus in prächtiger Lage über dem Gardasee war einer jener Wunschträume, die sich finanziell nicht ermöglichen ließen. Bei einer größeren Hütte, inmitten eines Olivengartens in Jugoslawien, ergaben sich unüberwindbare rechtliche Schwierigkeiten.

Bei derartigen Besichtigungsreisen war Muckel immer dabei. Und das nicht nur, weil er das von ihm beharrlich behauptete Privileg besaß, die Frau auf allen ihren Wegen zu begleiten. Hinzu kam, daß seine Zustimmung zu einer solchen Wahl für mitentscheidend wichtig befunden wurde. Doch dem schien es überall zu gefallen. Hauptsache: er konnte bei seinen Menschen sein; das allein war für ihn entscheidend.

Schließlich fanden sie dann doch, wonach sie jahrelang intensiv gesucht hatten. Ein Häuschen im Tessin; jenem Kanton der Schweiz, in dem italienisch gesprochen wird – ein Umstand, der noch zu etlichen denkwürdigen Ereignissen, im Bereich dieses Muckel, führen sollte. Jedenfalls wurden sie von Freunden zu diesem Entschluß lebhaft ermuntert; allerdings auch gleich von einem unbekümmert cleveren Rechtsberater betreut.

Zunächst betrachteten sie das Haus lediglich als Ferienwohnung. Es lag am Ende des Luganer Sees und gehörte zu dem als wahrhaft malerisch zu bezeichnendem Dorf Caslano, in der Nähe des Grenzübergangs von Ponte Tresa. Hier schien sich, abseits jeder Hauptstraße, eine Art Muckelparadies anzubieten. Die Zeit der großen Spaziergänge begann.

Dennoch existierten selbst hier dahinrasende Automenschen, vor denen Hunde in Sicherheit gebracht werden mußten. Wenn aber zum Beispiel das kompakte Müllfahrzeug der Gemeinde anrollte – in nahezu ganzer Breite der Nebenstraßen – geschah folgendes: sobald die italienischen Müllfahrer Muckel erblickten, drosselten sie ihre Geschwindigkeit, hupten ihn kurz an, winkten ihm zu.

Es kam sogar vor, daß sie ihn aufgriffen und *nach Hause* transportierten – selbst wenn sich dabei für sie Umwege ergaben. So was spielte sich dann mit lebhafter Freude und wohltönenden Worten in italienischer Sprache ab, die zwar von der Familie nicht verstanden wurde, aber höchst verständlich klang. Fortan stand für diese ihre Italiener stets ein roter Merlotwein bereit.

Denn das, was sich Muckel in jugendlichen Jahren in seinem bayerischen Heimatdorf immer wieder geleistet hatte, wurde hier nun abermals offenkundig: Muckel war ein Ausbrecher, er benutzte jede sich ihm bietende Gelegenheit.

Auch hier entwischte er durch jede geöffnete Tür – durch offene Fenster natürlich auch; dabei trat wahrscheinlich die Gemse in ihm in Funktion. Auch betätigte er sich erneut als Maulwurf, unterwühlte zwei Zäune, also den des Nachbargrundstückes auch. Selbst wenn er dabei durch das Uferwasser waten mußte – das durchschwamm er sogar, wenn es nicht anders ging. Sein Freiheitsdrang war grenzenlos.

Das alles gehörte wohl mit zu seiner unstillbaren Neugier. Er wollte eben auch diese seine neue Heimat intensiv durchforschen; sie in möglichst allen Einzelheiten kennenlernen. Vermutlich hielt er sich für eine Art Entdecker.

Muckel war eben nun einmal alles andere als ein bequemes Wesen – und als *Schoßhund* hatte er sich nie gefühlt; dazu hatte ihn auch niemals jemand ermuntert. Jedenfalls genügte auch hier ein unachtsamer Augenblick – und er war verschwunden. Und zunächst war es ziemlich schwer, ihn in diesem malerisch verwinkelten Dorf wieder aufzufinden. Bis dann selbst dort der Mann glaubte, eine gewisse Übersicht über die bevorzugten Besichtigungsfreuden des Hundes zu haben.

Bei dessen offenbar erklärten Lieblingsplätzen handelte es sich einmal um die von alten Platanen bestandene Promenade am See – diese prächtigen Bäume schienen ihn magisch anzuziehen. Doch er verschmähte das dortige Wasser. Wenn er zu trinken begehrte, begab er sich an die kleine Quelle bei der Kirche – scherzend auch *Tankstelle für Tiere* genannt. Eine zierliche Mariengestalt, in der Mitte des Brunnens, war stets von frischen Blumen umgeben.

Außerdem konnte Muckel oft in den engen, dekorativen Innenhöfen angetroffen werden, von denen es hier im Dorfmittelpunkt viele gab. Dort wimmelten muntere Kleinhunde und graziöse Großkatzen herum – mit denen er sich, überraschend komplikationslos, angefreundet hatte. Bald schienen die geradezu auf ihn zu warten.

Intensive Suchaktionen nach ihm, oft von Frau

und Mann zugleich durchgeführt, jedoch planvoll auf getrennten Wegen, arteten gar nicht selten zu freudigen Dorfvergnügungen aus. Denn nicht nur das italienische Müllabfuhrteam beteiligte sich daran – auch der Bootsverleiher, der Besitzer der Osteria, der Küster, schließlich sogar der Bürgermeister. Und allen voran der tierfreundliche Polizeibeamte, dessen Name wie *Paulaner* ausgesprochen wurde.

Für sie alle war das wohl ein mehr oder minder großes Alltagsvergnügen – jeder von ihnen kannte Muckel, wußte sogar dessen Namen. Und sie mochten ihn sehr. Dieser Hund war, obgleich ein von weither angereister Fremdling, ähnlich wie ihre Tiere: naturhaft, freiheitsbewußt, eigenwillig, ohne charakterliche Schäden, fern von jeder Dressur, keiner gepflegten Friseurkosmetik ausgeliefert. Muckel gehörte bald zu diesem Dorf – weit früher als der Rest der Familie.

Allein die Posthalterin von Caslano zeigte sich überaus besorgt. Sie gehörte hier zu jenen Menschen, welche die deutsche Sprache beherrschten. Auch sie hatte dessen Schnüffelspaziergänge genau beobachtet. Um so intensiver erfolgte ihre Warnung, die sie ganz zielstrebig direkt an den Mann richtete:

»Auf den müssen Sie aufpassen – möglichst besser als bisher! Auch zu mir gehörte so ein herrliches Tier, wie ein Bruder von Ihrem Hund. Doch der wurde dann zu Brei gefahren.«

»Aber doch wohl nicht hier, Signora?« Womit der Mann wohl sagen wollte: doch nicht in diesem geruhsamen, geradezu idyllischen Gemeinwesen.

»Genau hier«, sagte sie streng. »Unmittelbar vor meinen Augen – auf diesem kleinen Platz vor der Post! Und das nur, weil ich versucht habe, meinem Hund jede erdenkliche Freiheit zu erlauben. Doch so was darf man einfach nicht tun. Tiere wissen nicht, in welchem Ausmaß sie gefährdet sind. Bewahren Sie Ihren Hund davor!«

Das war gewiß gut gemeint. Der Mann versuchte, diese Warnung auch durchaus zu beherzigen – doch der Erfolg seiner diesbezüglichen Bemühungen blieb beklagenswert gering. Denn so sehr er sich in dieser Hinsicht auch Mühe gab – Muckel schien selbst ihm an Einfallsreichtum weit überlegen zu sein.

Dabei hatte der Mann die bereits schon lange Spazierleine seines Muckels von vier auf acht Meter verlängert, dann sogar auf zehn. Was gewiß doch wohl weiteste Beweglichkeit ermöglichte. Dennoch unterliefen ihm ein paar Fehler, die Muckel hellwach ausnutzte.

So etwa, wenn bei dieser mehrfachen Leinenverlängerung irgendein Bindeglied nicht voll funktionierte – weg war er! Oder wenn dessen Halsband, fürsorglich schonend, zu locker saß – nur eine heftige Kopfbewegung und er sauste befreit davon; nächsten Abenteuern entgegen. Die Ferien des Mannes drohten gelegentlich in Strapazen auszuarten – doch eben das verwunderte den kaum noch.

Sobald er, nach irgendeiner geschäftlichen Reise, wieder in Caslano ankam, stand der Hund da, schien zu sagen: Na, dann wollen wir mal wieder! Und das augenzwinkernd und erwartungsvoll.

Ihr Verhältnis zueinander konnte eben immer noch nicht als geklärt bezeichnet werden; es war vielmehr, nach wie vor, recht gespannt. Und das, obwohl Muckel inzwischen fast sechs Jahre alt geworden war – was mehr als vierzig Menschenjahren entsprach. Mithin hätte also nun dieser Mann sein älterer Bruder sein können.

Doch dann schien es, als wäre der Hund bereit,

sich um Harmonie zu bemühen, was eine Zeitlang geradezu idyllisch anmutete. Muckel trottete voran, der Mann trabte hinter ihm her; stundenlang, tagelang, Woche um Woche. Auch in den Weihnachtsferien, in denen dieses Dorf ungemein friedfertig aussah: keine mächtigen Großhunde, keine Touristen mehr, kaum noch Autos; sogar empfindsame Katzen lagen in der Mittagssonne am Straßenrand.

Zustände, die der Mann genoß. Der Himmel war glasklar an jenen Tagen, die Luft ganz durchsichtig – weite Horizonte um sie. Und dieses winterliche Caslanoidyll, voller naturnaher Friedfertigkeit verführte den Mann dazu, Muckel von seiner Leine zu befreien – ihn also völlig ungehindert laufen zu lassen.

Eine Tat, die dieser hellwache, aber auch raffiniert reagierende Hund zunächst überaus dankbar zu genießen schien – mithin also nicht auszunutzen gedachte. Er tänzelte durch die Gegend – von einer Straßenecke zur nächsten, von dort in Hauseingänge hinein, dann weiter zu den Bäumen. Dabei blickte er jedoch immer wieder zurück und blinzelte dem Mann zu – was den sehr beruhigte.

»Na also, Muckel«, rief er ihm erfreut zu. »Wir verstehen uns also – endlich!«

Der Mann war ziemlich sicher, daß die freudige Ausbruchswilligkeit des Hundes endlich gebannt wäre. Der schien nun zu wissen, was unter Kooperationsbereitschaft zu verstehen war. Nunmehr, glaubte der Mann, brauchte er Muckel nicht mehr scharf zu überwachen. Also beschäftigte er sich mit Schaufensterauslagen, Gemeindeverkündigungen und Plakaten.

Worauf dieser Hund prompt verschwand, schattengleich schnell enteilte – in die dekorativen Labyrinthe von Caslano. Was zunächst einmal zu dem seltsamen Effekt führte, daß der Mann sich schuldig fühlte, weil er nicht intensiv genug auf Muckel aufgepaßt hatte. Er hielt es für durchaus möglich, daß sich der Hund nicht voll genug beachtet, also nicht ausreichend betreut gefühlt haben könnte.

Also mußte er nun wieder einmal mehr gesucht werden. Zu diesem Zweck begab sich der Mann zu einem Toreingang vor einem größeren Hof. Dort glaubte er Muckel gesehen zu haben. Und da er weiter zu wissen glaubte, daß es dabei nur diesen einen Eingang gab, der also zugleich auch der Ausgang war – bezog er davor Posten. Ziemlich lange.

Doch dann, zunehmend beunruhigt, drang er in das Gebäude ein – in alle erreichbaren Wohnungen. Dort fragte er mit seinen sechs bis acht italienischen Gebrauchsvokabeln nach *mio cane nero,* also seinem *schwarzen Hund.* Was meist zu höflich-verwundertem Kopfschütteln führte. Gelegentlich, wohl seiner beharrlichen Eindringlichkeit wegen, glaubte er aber auch, ihn beschimpfende Wortgebilde zu vernehmen.

Doch eben dann schimpfte er mutwillig zurück. Und zwar mit Formulierungen, die er einigen italienischen Originalfilmen entnommen hatte – ohne wirklich zu wissen, was die dabei aufgeschnappten Worte bedeuteten. Dabei brachte er zum Beispiel auch ein *putana* an; was, wie er dann erfahren mußte, schlicht und scheußlich *Hure* hieß. Und eben so was hatte er, aufgeregt nach seinem verschwundenen Muckel suchend, einer Tessiner Dame zugemutet.

Nur den wohlwollend klärenden Bemühungen des Paulaner-Polizeibeamten war es dann zu verdanken, daß der Mann ganz knapp einem hochnotpeinlichen Prozeß entging. Der hätte möglicherweise seine wahrlich nicht ganz unberechtigte Ausweisung aus der Schweiz zu bewirken vermocht. Doch der einfühlsame Gerechtigkeitsvertreter brachte es fertig, überzeugend nachzuweisen, daß jener die Kantonssprache nicht beherrschende Gast ganz einfach außer Stande war zu wissen, was diese Worte zu bedeuten hatten. Dem müsse eben eine Art Notstand zugebilligt werden; der war allein um seinen Hund besorgt.

Jedenfalls fand sich dann der Mann, ziemlich erschöpft, wieder bei seiner Frau, in ihrem Ferienhaus ein. Um dort mühsam zu bekennen: »Ich glaube, ich habe ihn verloren.«

»Von wem redest du denn?« wollte sie mäßig belustigt wissen. »Doch nicht etwa von unserem Muckel? Der liegt seit fast einer Stunde hier im Haus – wie nach dir auf der Lauer.«

Was offensichtlich zutraf. Muckel lagerte tatsächlich in der spätwinterlichen Sonne nahe beim Türeingang. Und von dort aus schien er, beim Anblick dieses wahrhaft schwergeprüften Mannes, sagen zu wollen: Nun, Mensch – da bist du ja endlich. Und noch ein weiterer Satz wäre ihm durchaus zuzutrauen gewesen. Nämlich dieser: Wo hast du dich denn inzwischen herumgetrieben?

Der Mann versuchte auch noch das zu verkraften. Er sprach nicht aus, wozu es ihn drängte: Der mag ja an sich ganz niedlich sein, auch recht lieb und anschmiegsam – mir paßt das jedoch nicht, was der da so alles veranstaltet. In meinem Augen ist der ein ganz ausgekochter Provokateur, ein unbedenklicher, völlig rücksichtsloser Ausnutzer jeder irgendwie erreichbaren Freiheit. Und mich benutzt er bevorzugt!

»Unser Muckel«, meinte die Frau dann überzeugend, »ist eben nicht ein Tier wie viele andere. Wenn der unentwegt sein Eigenleben zu führen versucht – dann doch wohl, weil wir ihn immer wieder dazu ermuntert haben.«

»Doch seine Eigenwilligkeiten sind wahrlich nicht leicht zu ertragen – zumal er sich unentwegt auf mich konzentriert.«

»Der liebt dich eben – das weißt du nur noch nicht.«

Daraus ergab sich eine gewisse Ratlosigkeit. Einerseits wünschte der Mann nicht, Muckel bei ihren weiteren Spaziergängen wieder an die Leine zu legen, andererseits hatte er nicht das geringste Verlangen danach, auch weiterhin mühsame Suchaktionen nach diesem Hund zu unternehmen. So fand er eine Notlösung, die für keinen von beiden erfreulich war: gekürzte Spaziergänge auf völlig übersichtlichen Straßen. Beide waren ziemlich mißmutig dabei.

Doch dann meldete sich die Tochter der Familie zu Wort – sie war fast genau im gleichen Alter wie Muckel. Und die entwickelte, vermutlich von ihrer Mutter dazu inspiriert, einen sehr brauchbaren praktischen Einfall. Dieser Hund, meinte sie, sei ja wie ein Schatten, und deshalb oft nur mühsam zu erkennen. »Man muß ihn eben besser sichtbar machen!«

Was sie sich darunter vorstellte, erklärte sie auch gleich. »Wir sollten ihn kennzeichnen, damit er schon von weitem auffällt. Vielleicht durch eine Art Gewand in möglichst auffälliger Farbe.«

Die Frau stimmte sofort zu. Doch der Mann lehnte diesen Vorschlag entschieden ab. »Der hat ein Hund in seinem Naturzustand zu bleiben – das war so ausgemacht. Also keine Frisuren, keine funkelnden Halsbänder; und schon gar nicht irgendein Bekleidungsstück!«

»Nichts Derartiges«, wurde ihm fast feierlich versichert. Frau und Tochter hatten bereits erste Entwürfe angefertigt: eine Art Rückenschutz, gegen

Regen; einen Bauchschutz dazu, gegen Schneematsch. Beide verbunden durch verstellbare Zwischenglieder – alles aus leichtesten Materialien – und in einer weithin leuchtenden Farbe. Denn nur so würden ihn Autofahrer schon von weitem erkennen, selbst bei größeren Entfernungen.

»Na, schaden kann so ein Versuch ja wohl nicht«, stimmte schließlich der Mann zu. Denn Muckels Sicherheit war ihm natürlich nicht gleichgültig. »Mal sehen, was dabei herauskommt. Aber in einem Punkt kann ich euch nur warnen: versucht ja nicht, unseren Kleinen zu einem Clown zu machen!«

Die weiblichen Kräfte der Familie werkelten nun geradezu hingebungsvoll. Zunächst wurde die Farbe für dieses Schutz- und Sichtgebilde bestimmt. Nach längeren Überlegungen kam man überein, kein leuchtendes Rot, kein grelles Gelb zu wählen – vielmehr ein hellschillerndes Grün. So wurde also dieses Gewand geschneidert und dem höchst interessiert daran schnuppernden Muckel angepaßt. Der ließ sich das alles wohlig knurrend gefallen.

Das Resultat war achtbar, wirkte also keinesfalls wie ein auf den Hund gekommenes menschliches Kleidungsstück. Und da Muckel selbst sich darin ganz wohl zu fühlen schien, wurde es auch von dem Mann akzeptiert. Der Erfolg war erfreulich: Der Hund war nun kein dahinhuschender Schatten mehr – er blieb jetzt tatsächlich, selbst aus weiteren Entfernungen, gut sichtbar.

Als der Mann also einige Tage später wieder einmal feststellen mußte, daß ihm Muckel bei ihrem Spaziergang abhanden gekommen war, nahm seine Suche nach ihm eine neue Form an. Er versuchte erst gar nicht einen mühsamen Alleingang, ging vielmehr zielstrebig und planmäßig vor. Ein

Schnellkurs in italienischer Sprache, den ihm seine Tochter verabfolgt hatte, half dabei beträchtlich.

So ließ er sich auf die Befragungen gleichfalls spazierengehender Tessiner, die glücklicherweise fast alle entgegenkommend und verständnisbereit waren, ein. Er begrüßte sie in ihrer Kantonssprache, und zwar, gut gelernt, der jeweiligen Tageszeit entsprechend; dann mit fragendem Unterton: »Cane nero piccolo?« Was bedeutete: kleiner, schwarzer Hund?

Der diesmal mit derartig infantilen, fast rührend hilflosen Wortgebilden konfrontierte Tessiner, ein wohlbeleibter, gemüthafter Mensch, begriff, was damit gefragt werden sollte. Er hob bedauernd beide Hände. Und seine wortreiche italienische Entgegnung schien zu bedeuten: er bedauere es sehr, nicht hilfreich sein zu können – kleine Hunde, auch schwarze, gäbe es hier viele.

Worauf der Mann auch seine restlichen Vokabeln vom Stapel ließ. Abermals sprach er von einem »cane nero piccolo«, fügte dann jedoch bedeutsam hinzu »In veste verde!« Also: bekleidet mit einem grünen Gewand!

»Si, si, Signor!« rief nun der Tessiner geradezu glücklich aus. Das hatte er gesehen, einen Hund, der eine Art Weste trug. Er wies auf ein Gebüsch in der Nähe der Badeanstalt.

Und dort war Muckel tatsächlich.

Dieses Dorf Caslano im Tessin lag inmitten wunderbarster Naturschönheiten: sanfte Hügel, Gärten voller Blütenbäume, der hier überaus sauber anmutende See. Eine betörende Landschaft von großer in sich ruhender Geschlossenheit. Hier wohnen zu dürfen – wenn auch nur gelegentlich – war wie ein Geschenk. Aber alles hat eben doch seinen Preis.

Inzwischen war Hochsommer. Hund und Mann

schienen, nach den vergangenen leicht strapaziösen Weihnachtsferien, eine Vereinbarung getroffen zu haben. Und dieser Pakt, von dem kleinen, raffinierten Hund vermutlich diktiert, sah folgendes vor: Du, Mensch, läßt mich frei laufen – dafür garantiere ich dir, daß ich dir nicht weglaufe. Du bist hinter mir, ich bin vor dir!

Diese Übereinkunft schien voll zu funktionieren, was beide sehr genossen. Der Sommer war erfüllt von flirrender Hitze – und dann wurde auch wieder der Geburtstag der Frau gefeiert. Etliche Freunde waren gekommen, auch die von Muckel anhänglich verehrte Freundin; und die Vorbereitungen für diesen großen Tag führten zu lebhafter Betriebsamkeit. Hund mit Mann wichen derartigem vorfestlichen Treiben gern aus, in die wohltuenden Schatten des Sassalto Kegelberges.

Der Hund vergnügte sich dabei auf seine Weise. Er beschnüffelte und kennzeichnete seinen Bereich ausführlich, was zu einem erhöhten Flüssigkeitsverbrauch führte. Der mußte ergänzt werden.

Nun fand Muckel bekanntlich am Seewasser keinen sonderlichen Gefallen, vielmehr bevorzugte er Quellen und Wasserleitungen, auch Tümpel oder was sonst noch trinkbereit am Wegesrande stand. Wobei er keinesfalls leicht mooriges Wasser verschmähte; vermutlich erinnerte ihn das an den Teich bei seinem bayerischen Heimathaus.

Diesmal jedoch drohten sich aus dieser Vorliebe fast tödliche Folgen für Muckel zu ergeben. Und das aus Leichtfertigkeit oder zumindest unbedenklicher Unbekümmertheit des Mannes. Schließlich hatte er immer wieder großspurig verkündet: »Da wir diesen Hund in unserem Hause aufgenommen haben, sind wir auch voll für ihn verantwortlich; was immer auch geschehen sollte.«

Was diesmal geschah, war bald klar erkennbar: Muckel hatte aus einer für ihn wohl schön teichmoorig riechenden Pfütze getrunken. Die jedoch war, wie sich heraustellte, schwer verseucht – und zwar durch Reste von einem giftigen *Schutzmittel*, das auf Bäume versprüht und dann durch einen Regenguß zu Boden gespült worden war. Jeder Mensch hätte das erkennen müssen, denn die Oberfläche dieser Pfütze schimmerte dunkelgrün bis stahlbläulich. Ein Hund jedoch vermochte das nicht zu wittern, denn das Giftprodukt war garantiert geruchlos.

Bald begann Muckel zu taumeln, dann fiel er um. Er wälzte sich mitten auf dem Weg und versuchte keuchend an dessen Rand zu kriechen. Hier angekommen stöhnte er schwer, erzitterte heftig, erbrach giftgelbgrünen Schleim.

Der Mann, ansonsten stets bemüht, Komplikationen zu vermeiden, zumindest ihnen auszuweichen – so was überließ er gerne seiner Frau, schließlich war dies ganz allein ihr Hund – unterdrückte diesmal jedes Verlangen nach einer Ausflucht. Entschlossen griff er Muckel auf und trug ihn zu einem schützenden Gebüsch dicht bei der Straße. Dort deponierte er unmittelbar vor dessen immer noch glänzender Nase: die Leine, sein Taschentuch dazu, dann auch die Hausschlüssel.

»Warte hier – auf mich!«

Danach drang er, ohne zu zögern, in das nächste erreichbare Haus ein. Dort angekommen rief er »Pardon«, legte ein Fünffrankenstück auf den Tisch und griff nach dem Telefon. Die erstaunten Bewohner ließen ihn gewähren. Vermutlich machte er den Eindruck, entweder leicht verwirrt oder stark erregt zu sein – und dagegen war wohl nichts zu machen.

Er rief die Frau an. Der sagte er, was geschehen war und wo sie, genau, zu finden waren. Der Hund und er.

Dann eilte er wieder zu Muckel. Der schwankte ihm entgegen, suchte also nach ihm wie mit letzter Kraft. Doch als er den Mann erblickte, brach er wieder zusammen.

Der Mann nahm ihn abermals auf. Dann bettete er den Hund wieder ein wenig abseits der Straße. Doch ohne ihn diesmal aus den Händen zu lassen – er legte sich zu ihm.

Zum Glück mußte er Muckels keuchende Qualen nicht allzu lange erdulden. Die Frau kam angefahren, begleitet von der Freundin; sie hatten Muckels Schlafdecke mitgebracht. Darauf legten sie ihn, zwischen sich. Der Mann ließ sich, total erschöpft, auf den Rücksitz ihres Fahrzeuges fallen.

»Ich habe bereits mit dem Tierarzt gesprochen.« Wie immer in solchen Fällen reagierte sie ganz sachlich. »Der meint, wenn Muckel versucht, dieses Gift zu erbrechen, wäre das ein gutes Zeichen. Wir sollten uns bemühen, ihn zum Trinken von klarem Wasser oder sanftem Tee zu verführen – das würde vieles erleichtern.«

Frau und Freundin schleppten Muckel zur hinteren Terrasse des Hauses in die Nähe der Küche. Das geschah wohlüberlegt, denn dort hielt sich dieser Hund stets besonders gerne auf; in der Nähe von Kühlschrank, Schmortöpfen und Bratpfannen. Doch nun lag er dort fast regungslos, zugleich schwer keuchend.

Frau, Freundin und Mann – die Tochter kam alsbald hinzu – betrachteten ihn mit steigender Hilflosigkeit. Sie stellten ein Gefäß mit Mineralwasser ohne Kohlensäure vor ihn hin, zugleich eine Schale Tee. Nichts davon nahm Muckel zur Kenntnis. Abermals erbrach er sich.

Dann setzte er sich keuchend in Bewegung, schwankte auf die ganz dichte Hecke beim Zaun zu. Dort kroch er hinein, als versuche er sich jeder menschlichen Anteilnahme zu entziehen. Es war, als verlange es ihn danach, nun ganz allein zu sein – in den vielleicht letzten Augenblicken seines Daseins.

Die Freundin stürzte entsetzt davon, Tränen in den Augen; wobei sie nicht vergaß, die Tochter mit sich zu nehmen. Und der Mann sagte schicksalergeben: »Auch das noch!« Er blieb jedoch dort, wo er sich befand, stehen.

Die Frau begab sich fast lautlos zu Muckel in der dichten Hecke; dort kniete sie sich hin. Sie beugte sich ihm entgegen, berührte ihn nicht. Doch sie begann intensiv auf ihn einzureden – für den staunenden Mann nicht in allen Einzelheiten deutlich vernehmbar.

»Was machst du denn da für Sachen, mein geliebter Kleiner? So was gefällt mir aber gar nicht. Ich will dich doch behalten, wir alle wollen das, solange das irgendwie möglich ist – also mindestens ein normales Hundeleben lang. Versuch mir da ein wenig entgegenzukommen. Nimm all deine Kraft zusammen; überwinde auch noch das. Ich bitte dich darum!«

Worauf Muckel, etwa zehn Minuten später, aus seinem Versteck hervorkroch. Er schüttelte sich heftig – und seine kleinen, dünnen Beine bebten. Dann bewegte er sich taumelnd auf die Küche zu, tapste hinein. Dort legte er sich nieder; nahe der Wasserleitung.

Er bekam zu trinken – und er trank. Erneut erbrach er sich, doch nun ohne erwürgende Heftigkeit. Dann schlief er ein, schlief stundenlang.

Also hatte er auch das überlebt. Gleich am nächsten Tag tummelte er sich wieder herum. Er speiste gut und verlangte nach einem Spaziergang.

Und am Tage danach, beim Geburtstagsfest der Frau, fühlte er sich, mit ihr, wieder als strahlender

Mittelpunkt. Er begrüßte alle Gäste, legte sich zwischen sie, gab ihnen zum Abschied das Geleit. Die große Gefahr, die nicht allzu viele Stunden zurücklag, schien er völlig vergessen zu haben.

»Der«, meinte der Mann anerkennend, »ist eben ein Stehaufmännchen!«

»Vielleicht siehst du das nicht ganz richtig«, gab die Freundin zu bedenken, vermutlich von der Frau dazu angeregt. »Dieser Muckel ist ein unabtrennbarer Teil von euch – und das weiß der. Also hofft er darauf, daß du das auch weißt.«

»Meine Liebe«, erklärte ihr nun der Mann souverän, »dieser Hund ist tatsächlich, zugegeben, ein recht sympathisches, angenehmes und auch kluges Geschöpf. Doch manchmal kommt er sich vor, als wäre er hier der alleinige Mittelpunkt.«

»Ist er das denn nicht?« fragte ihn die Freundin sanft; ihre Argumente waren genau die seiner Frau. »Der liebt dich – und du liebst ihn auch!«

»Übertreibe das nicht gleich, meine Verehrteste! Ich bin, wie du wohl weißt, ein bäuerlich veranlagter Familienmensch – und als solcher versuche ich lediglich alles, was zusammengehört, auch zusammenzuhalten. Und dazu gehört nun mal auch dieser Hund; so unbequem das, gar nicht selten, auch ist. Das ist auch schon alles.«

»Ist es nicht!« behauptete die Freundin. »Dieser Muckel ist in eure Welt hineingewachsen; der hat inzwischen bestaunenswert viel von eurem Wesen, eurer Lebensart angenommen. In Besonderheit von dir.«

»Daß ich nicht lache«, sagte der Mann jetzt überaus ernst. »Bitte, dichte dem nichts an, geheimnisse nichts in ihn hinein! Der ist ein Hund und das soll er auch bleiben – ein prächtiger Hund, zugegeben. Doch mehr ist dazu wohl kaum zu sagen.«

»Und was ist mit seinen ganz ungewöhnlichen

Eigenschaften – die er erst so nach und nach entwikkelt hat; bei euch, bei dir? Etwa seiner seltsamen Toleranz, anderen Tieren, anderen Lebewesen gegenüber? Die hat er, ganz eindeutig – von dir.«

Derartige Behauptungen wies der Mann mit einiger Entschiedenheit von sich. Denn die permanenten Schwierigkeiten, die ihm dieser Hund bereitete, ließen sich gewiß nicht einfach vergessen. In gar nicht wenigen Augenblicken waren sie für den Mann wie eine ewige Heimsuchung.

Nun ja, so ganz unberechtigt waren die Hinweise der Freundin auf Muckels ausgeprägte Toleranzgefühle nicht. Denn, genauer betrachtet, konnte der tatsächlich wohl kaum als ein reiß- und beißwütiges Tier bezeichnet werden. Seine stets großzügige Anpassungsfähigkeit war vielmehr ziemlich frappierend.

Und das auch dann noch, als in dieses sein Haus, schnell nacheinander, zwei Katzen einzogen. Die eine war ihnen über den Zaun geworfen worden; die andere hatte bei ihnen Zuflucht gesucht. Es waren schöne, aber auch recht eigenwillige Exemplare; doch recht verträgliche, sobald sie sich hier heimisch fühlten. Etliche andere kamen im Laufe der Zeit hinzu. Schließlich wimmelten hier nahezu ein halbes Dutzend herum.

Muckels Reaktion auf derartige Neuzugänge war stets die gleiche. Er begab sich, wenn auch meist leicht widerwillig, auf die Katzen zu, langsam, er ließ sich dabei manchmal eine Viertelstunde lang Zeit. Vermutlich wollte er sie nicht voreilig als Feindhund erschrecken. Dann beroch er sie lediglich und danach war es, als nicke er, zustimmend.

Mit anderen Tieren, ob nun Enten, Vögeln, dann sogar Schweinen, war es nicht viel anders. Sobald Muckel merkte, daß die mit ihm, neben ihm, in seinem Bereich leben wollten, war alles in Ordnung. Dann duldete er sogar deren Teilnahme an seinen Mahlzeiten. Gelegentlich.

Dabei waren andere Hunde – mit Ausnahme jener scharf-kräftigen Schäferhundkolosse in seinem bayerischen Heimatdorf – offensichtlich für ihn kein besonderes Problem. Denen begegnete er mit großer Gelassenheit; die ließ er auf sich zukommen. Erst dann reagierte Muckel; und zwar genauso, wie die anderen auf ihn reagierten. Mit ganz besonderer Gelassenheit, wenn er den Mann, stets schutz- und verteidigungsbereit, in nächster Nähe bei sich wußte.

Pferde jedoch – die er niemals mit Eseln verwechselte – erregten, recht überraschend, seinen allerhöchsten Unwillen. Die wirkten auf ihn offenbar bedrohlich gigantisch; die waren größer als drei Dutzend Katzen zusammen und ein Dutzend andere Hunde noch dazu – sogar noch weit größer als Menschen. Die bellte er erregt an.

In seinem Tessiner Dorf waren sie jedoch nur in seltenen, vereinzelten Exemplaren anzutreffen, so daß durch sie seine Gemütsverfassung nicht sonderlich strapaziert wurde. Es war aber durchaus möglich, daß er diese Tiergiganten allein deswegen anbellte, weil sie nicht die geringste Notiz von ihm nahmen. Sie blickten souverän – über ihn hinweg.

Einmal hinterließ eins dieser prächtigen Großtiere einen kompakten körperwarmen Haufen, bevor es stolz davonschritt. Und diesem leicht dampfenden Gebilde stürzte sich nun Muckel entgegen, beroch es intensiv. Und ohne daß noch sein Begleiter begreifen konnte, was da geschah, warf sich der Hund, blitzschnell, mitten in diese Pferdeäpfel. Um sich dann darin, mit freudig-ernsthafter Wonne, herumzuwälzen.

Das, meinte der Mann, ging doch wohl ganz entschieden zu weit! Denn nun roch Muckel nicht nur streng – er stank jetzt vielmehr; und zwar derartig penetrant, daß es sogar seinem Begleiter den Atem verschlug. Der begab sich schnellstens zum nächsten Kiosk, um dort die dickste Zeitung zu kaufen. Mit der und Muckel ging er zum nächsten Brunnen. Er zerlegte das kompakte Nachrichtenorgan in Einzelteile, tauchte sie in das Wasser – um damit dem Hund den Pelz zu waschen.

Was sich Muckel, breitbeinig dastehend und wohlig knurrend, gefallen ließ. Schließlich verlangte es ihn immer wieder danach zu fühlen, daß man sich intensiv mit ihm beschäftigte. Dafür schien er gar nicht selten auf recht raffinierte Weise zu sorgen. Doch bei all seiner ausgeprägten Eigenwilligkeit: er war ein überaus kooperatives Geschöpf. Wobei sich höchst Seltsames ereignete.

Da waren zum Beispiel diese Schwäne! Zwei überaus prächtige Exemplare, die oftmals beim Caslano-Haus auftauchten, stets gemeinsam; vermutlich handelte es sich bei denen um Mann und Frau. Die erschienen in den Mittagsstunden – schön, stolz und scheu; einem Mahl nicht abgeneigt.

Dafür zu sorgen war die Familie bereit. »Das dann jedoch bitte regelmäßig – und niemals unmäßig!« warnte der Mann. Dabei wurde sorgfältig klein geschnittenes, aufgeweichtes Brot bevorzugt. Was von den graziös dahingleitenden Prachtexemplaren sehr genossen wurde. Mit Vorliebe war es die Tochter, die diesen Schwänen derartige Freuden bereitete. Dabei wurde sie stets von Muckel begleitet.

Zunächst schienen die Schwäne den Hund offenbar als feindselig zu betrachten. Einer von ihnen versuchte sogar, scharf fauchend, sich dem gelassen dastehenden Muckel entgegenzustürzen.

Wobei es sich doch wohl nur, vermutete der Mann, um das männliche Exemplar dieses Paares handeln konnte. Es war aber, wie sich später herausstellte, der weibliche Schwan. Diese Dame jedenfalls äußerte ihre lautstarke angstvolle Abneigung gegenüber dem kleinen, schwarzen, auf sie lauernden Schurken äußerst heftig.

Das spielte sich dann noch drei- bis fünfmal so ab; alsbald jedoch mit abnehmender Heftigkeit. Die Schwäne begannen, sich an den Hund zu gewöhnen. Sie schienen ihn als einen unvermeidbaren, aber harmlosen Bestandteil ihrer Mittagsspeisewelt hinzunehmen.

Sie erschienen mit immer größerer Regelmäßigkeit. Bald hätte man die Uhren nach ihrem Erscheinen stellen können: 12.30 Uhr. Niemals kamen die beiden Schwäne zu früh – höchst selten verspäteten sie sich. Und stets lag dann ihr Anteil bereit: kleingeschnittene Brotteile auf einer Zeitung, deponiert auf einem Mauervorsprung. Sie brauchten also nur zu erscheinen, ein paar Ruflaute auszustoßen – und schon eilte jemand von der Familie herbei, um sie zu füttern.

Dabei gab es allerdings auch den einen oder anderen Tag, an dem sie mit einiger Verspätung eintrafen. Vermutlich behindert durch irgendwelche planlos dahinrasenden Motorboote, die Freizeitmenschen auf Brettern wellenschlagend hinter sich herschleppten. Doch dann war es Muckel, der hier nun auf sie wartete, geradezu nach ihnen Ausschau hielt. Freudig schwammen sie ihm entgegen.

Wenn sie dann in seiner Nähe angekommen waren, fütterte er sie. Dabei schob er mit der rechten vorderen Pfote die auf der Mauer deponierten Brotreste abwärts, ihnen zu – in kleinen, genau berechneten Portionen; wie er das wohl seinen Familienangehörigen abgeschaut hatte. Die Schwäne schnatterten freudig.

Spätestens von diesem Zeitpunkt an war diese ebenso merk- wie denkwürdige Tierfreundschaft überaus perfekt. Die beiden großen weißen Schwäne und der kleine schwarze Hund schienen sich stets gesucht und endlich gefunden zu haben. Fortan war es, als hielten sie verlangend nacheinander Ausschau.

Und als dann diese Schwäne Nachwuchs bekamen, also zunächst Eier legten, geschah das in nächster Nähe von Muckel; im dicksten Schilf, kaum mehr als hundert Meter vom Haus entfernt. Dort brüteten sie. Und dabei fand sich dann auch dieser Hund ein. Nicht nur anteilnehmend, vielmehr entschlossen, sie abzuschirmen. Gleich einem Wächter lag er in jenen Tagen und Wochen stundenlang bei ihnen.

Als dann das Resultat dieser brütenden Bemühungen endlich zum Vorschein kam, war die Freude groß; besonders bei Muckel. Der erblickte jetzt nicht nur ein blütenweißes Schwanenelternpaar, sondern auch drei graubraunmelierte Kinder! Und sie alle bewegten sich, zum ersten Mal gemeinsam, auf das Haus zu.

Muckel eilte ihnen mit heftigen Freudensprüngen voran. Dabei stieß er rauh-glückliche Laute aus, die wohl besagen sollten: Achtung, Leute, nun kommen sie! Nun sind sie da!

Die ganze Familie beeilte sich, an diesem glücklichen Ereignis Anteil zu nehmen.

Wobei sich einer ihrer nächsten Nachbarn der Faszination dieser seltsamen Bilder nicht zu entziehen vermochte; obwohl der vielleicht noch zurückhaltender, unauffälliger zu leben wünschte, als dieser Mann. Er war Professor für Philosophie an der Universität Mailand – doch hier im Tessin schien er sich von seinen dortigen Belastungen erholen zu wollen.

Mit entzückter Anteilnahme hatte er beobachtet, was sich der Hund mit den Schwänen leistete. Später soll er dann in einer seiner Vorlesungen verkündet haben: »Diese unsere Welt mag noch so ausgeprägt triebhaft in Erscheinung treten – was sie dennoch lebenswert, fast liebenswert macht, das sind die großen, herrlichen Unberechenbarkeiten.«

Gleich an einem der nächsten Tage begegnete dieser Professor den beiden Spaziergängern, also Hund mit Mann. Vor die stellte er sich hin. Und bei aller ihm zugestandenen Sensibilität wirkte dieser Italiener rein körperlich ungemein mächtig. Gleich einer Sperrmauer stand er da. Um dann seinen Hut zu ziehen, ihn sehr weit, fast bis zum Erdboden zu schwenken und Muckel zuzurufen: »Salute – amico cane!« Was bedeutete: Sei gegrüßt, Freund Hund!

Muckels Reaktion darauf war auch recht merkwürdig – reichlich verlegen stand er da, den Kopf gesenkt. Doch ziemlich stolz, an seiner Stelle, wirkte der Mann. Hatte er doch soeben ein ganz besonderes, geradezu einzigartiges Kompliment vernommen. Dafür bedankte er sich – im Namen seines Hundes.

Danach begaben sie sich wieder – der Geschäfte des Mannes wegen – in ihr bayerisches Heimatdorf. Wo sich Muckel nicht ungerne aufhielt. Die Hauptsache war: seine ganze Familie umgab ihn.

Damals war er bereits sechs bis sieben stattliche Hundejahre alt. – Nun schien er nicht mehr sonderlich problematisch zu sein. Offenbar hatte er inzwischen eine ganz enorme Menge an Erfahrungen gesammelt und seine Lehren daraus gezogen. Sein ausgeprägtes Orientierungsvermögen, zumindest in seinen von ihm in allen Details erschnüffelten Dörfern, ließ ihn sich überaus unabhängig vorkommen.

Wenn er verschwand, kehrte er, nachdem er sich offenbar vergnügt hatte, nach ein, zwei, drei Stunden wieder heim – spätestens aber zu seinem Abendessen. In diesen Jahren waren seine Sinne wohl überaus stark ausgeprägt. Der hörte, sah oder witterte einfach alles; jede erdenkliche Gefahr. Rechtzeitig, um ihr dann ausweichen zu können.

Doch dann kam ein Tag, an dem Muckel frühzeitig von einer seiner Ein-Hund-Expeditionen heimkehrte, bei der er offenbar keine sonderlichen Freuden genossen hatte. Vielmehr schleppte er sich mühsam dahin, kroch unsagbar keuchend, wie mit letzter Kraft, seinen Menschen entgegen.

Die Frau erblickte ihn zuerst und stürzte sich ihm entgegen; mit alarmierendem Aufschrei. Tochter und Mann folgten ihr unverzüglich. Und sie alle erkannten: ihr Muckel blutete schwer. Seine Rükkenpartie schien aufgerissen oder zerbissen worden zu sein.

»Diese fürchterlichen Schäferhunde!« rief die Frau ahnungsvoll und schnell anklagend aus. Sie barg Muckel in ihren Armen – ohne die geringste Rücksicht darauf, daß sein Blut ihren dekorativen Hausanzug klebrig verunreinigte. So klein dieser Hund auch war, er schien enorme Mengen Blut zu haben.

Und wie immer bei solchen und ähnlichen Ausnahmezuständen reagierte die Frau, bei aller Erregung, absolut sachlich. Vermutlich hatte sie sich auf derartige *Fälle* geradezu generalstabsgerecht vorbereitet; sie also gedanklich durchgeplant. Ihre Anordnungen waren dementsprechend.

»Wir«, also sie mit Tochter, »begeben uns zum Arzt der Tiere – der besitzt einen Durchleuchtungsapparat mit der neuesten Technik. Bitte laß ihn telefonisch wissen, daß wir bereits zu ihm unterwegs sind. Dann solltest du dich um die Schäferhunde kümmern. Falls die es gewesen sind, die hier alles zu vernichten drohen, was ihnen nicht gefällt, dann mußt du eben alle sich daraus ergebenden Konsequenzen ziehen. Die zerfetzen unseren Mukkel sonst womöglich noch!«

Dieser ihrer eindringlichen Aufforderung kam der Mann nach. Er suchte also jene Menschen auf, zu denen diese Schäferhunde gehörten. Dabei begegnete er, zu seiner maßlosen Überraschung, zwei uralt wirkenden Lebewesen, die ihn voller Güte und Nachsicht anlächelten. Und beide erklärten ihm gemeinsam: Dieser kleine schwarze Hund sei ihnen bekannt. Bei dem handele es sich um ein sehr graziöses, überaus freundlich wirkendes Tier.

Worauf sie dann, intensiv befragt, mit einem unentwegt gütigen und überaus sanften Lächeln eingestanden: Nun ja, es komme durchaus vor, daß ihre Hunde gelegentlich ausbrächen – und es wäre nicht ganz auszuschließen, daß die das auch an diesem Nachmittag getan hätten. Doch bevor dann noch der Mann vieldeutig »Aha!« sagen konnte, mußte er, von beiden, eine Behauptung vernehmen, die ihn sehr verwunderte:

»Unsere Schäferhunde sind, im Grunde ihres Wesens, ungemein friedfertige Tiere. Auch wenn man ihnen das, zugegeben, nicht so ohne weiteres ansieht; auch nicht zutraut. Doch eben so sind die. Es sei denn – sie fühlen sich bedroht.«

Inzwischen hatte der Arzt der Tiere – ihn lapidar *Tierarzt* zu nennen, war in dieser Muckelfamilie längst nicht mehr üblich – den Hund gründlich durchleuchtet. Danach stellte er, überaus bedächtig, seine Diagnose: *»Nichts.* Dabei maße ich mir nicht an, absolut einwandfrei festzustellen, was diesmal mit unserem Hund geschehen sein könnte. Dabei schließe ich, nach ersten Überprüfungen, heftige Bißwunden nicht ganz aus. Es könnte aber auch sein, daß Muckel unter ein Auto geraten ist, wobei sein Rücken aufgerissen wurde.«

»Was auch immer gewesen sein mag, Herr Doktor – wird er es überleben?«

»Mit ziemlicher Sicherheit auch diesmal, gnädige Frau«, beruhigte er sie. »Denn einmal sind, bei Ihrem geliebten Hund, keinerlei lebenswichtige Organe oder maßgebliche Körperteile verletzt worden. Und wenn dabei auch sein Blutverlust als ungewöhnlich stark bezeichnet werden muß – so ist selbst das, für diesen Hund, kein sonderliches Problem. Nicht für den. Der will leben!«

Während dieser Rede wurde Muckel verschwenderisch eingesalbt und in mumienartige Verbände gehüllt. Regungslos lag der dann da; selbstverständlich überlebte er auch das. Blinzelnd – nächsten Abenteuern entgegen.

8. Stunden, in denen eine Freundschaft begann

Im nächsten Sommer wurde das Ferienhaus im Tessin einer befreundeten Familie überlassen – der Garten ebenso wie die Besuchstiere rundherum. Muckels Menschen reisten von Oberbayern aus nach Spanien – weiteren gemeinsamen Erlebnissen entgegen; oder eben Heimsuchungen.

Dabei landeten sie im Süden eines der für herrlich erklärten Ferienländer, bei Marbella. Dort war ein Haus, oberhalb der Stadt, für sie gemietet worden. Und in dem tummelten sich bald alle, die diesmal zu ihnen gehörten – die Familie und etliche Verwandte, überaus ferienfreudig gestimmt.

Und mitten unter ihnen Muckel. Der veranstaltete zunächst eines seiner erklärten Lieblingsspiele: er umkreiste seinen Clan, gleich einer Schafherde. Sobald er sie dann alle zusammengebracht hatte, legte er sich wie üblich nieder, um alle Anwesenden mit zufriedenem Blinzeln zu betrachten.

Diesmal jedoch schien das ohne Freude, ohne die sonstige Lebhaftigkeit eines Muckel zu geschehen. Gelegentlich kam es sogar vor, daß er gelangweilt einschlief. Was die Frau wahrlich nicht unbesorgt registrierte.

Und weiter bemerkte sie: so gut wie alle Ferienfreunde schienen sich zu vergnügen – Muckel jedoch nicht; nicht mit seiner sonst so viel bewunderten Fröhlichkeit. Aber nicht nur er wirkte wenig glücklich – der Mann war es offenbar auch nicht.

Wobei die Frau zunächst ganz einfach annahm: Muckel wäre es hier lediglich zu heiß – in seinem Pelz. Und der Mann schien erhebliche Mühe zu haben, mit den überfetteten Speisen und den schwersüßen Weinen dieses Landes fertig zu werden. Ziemlich erschöpft lagen die beiden oft herum, Hund und Mann. Doch das immer noch weit voneinander entfernt; so an die zwei bis drei Meter.

Das Wasser im Schwimmbassin sah kloakenartig aus. Der ausgebleichte Rasen um sie drohte zu verdorren. Sie flüchteten sich dann in den Schatten eines mächtigen, das Grundstück beherrschenden, korkeichenartigen Baumes. Wo sich auch eine von dem Mann dort ausgelegte große Decke befand. Auf der nahm nun auch Muckel Platz – das heißt am äußersten Rande davon. Womit sie sich, immerhin, abermals ein wenig näher kamen.

An Sonntagnachmittagen fühlten sie sich wirklich heftig gestört. Dann richteten sie sich auf, wobei der Mann betrübt talabwärts blickte und der Hund ihn besorgt anblinzelte. Beide schienen genau zu wissen, warum.

Denn allsonntäglich ertönten, zur verlängerten Kaffeestunde, von unten aus dem Ort heftige Schreie, aus tausenden von Kehlen. Und dieses Gebrüll flatterte ihnen ganz direkt mit mächtiger Stärke entgegen, genau sechsmal – mit großer, explosionsartiger Heftigkeit.

Derartige Lustschreie kamen aus der Arena. Sie erfolgten immer dann, wenn ein Stier, der nicht die geringste Überlebenschance hatte, nach allen Regeln dieser sogenannten Kunst abgestochen worden war. Der Mann schüttelte sich angewidert und entsetzt – und Muckel, bereit dazu, dessen Gefühle zu teilen, versuchte das auch.

Aber es gab auch noch andere, sie gleichfalls beunruhigende Vorgänge. So etwa die Begegnungen mit Eseln, die in den nachglühenden Nächten entsetzliche Klagetöne ausstießen. Oft begab sich dann der Mann ins Freie – und Muckel folgte ihm, was dankbar bemerkt wurde.

An einem der nächsten Tage, als sie zum Strand hinunterwanderten, kam ihnen eine kleine Kolonne von Eseln entgegen. Mausgraue Tiere mit großen, flehenden Augen; sie trabten schwer keuchend bergaufwärts. Doch was sie dabei so entsetzlich gequält keuchen ließ, war nicht der gewiß mühsame Aufstieg, sondern waren ihre Lasten – Touristen.

Schreiend bunt gewandet, lärmend laut, schwangen sie Weinflaschen wie Fahnen. Für den Mann waren sie verfettete, dickbäuchige, schwabbelnde, feist rundgesichtige Geschöpfe. Er jedenfalls war sicher, so etwas Scheußliches noch nie erblickt zu haben.

»Dabei kann es sich durchaus«, gestand er dann später ein, »um harmlose Ferienvergnügungen gehandelt haben. So was genießen diese Leute ahnungslos, halten es wohl für Freizeitfreuden. Und die armen Eselbesitzer haben es dringend nötig, ein paar Pesos zu verdienen. Doch das alles war mir bei diesem Anblick ziemlich gleichgültig.«

Damals kam es zu einer Szene, die bei dem an sich stets um äußerste Zurückhaltung bemühten Mann erheblichen Seltenheitswert besaß. Er schrie die Eselquäler geradezu hemmungslos an. »Schämt ihr euch denn nicht!?«

Die schauten ihn völlig entgeistert an – offenbar waren sie hier einem Irren begegnet. Worauf dann Muckel, plötzlich gleichfalls enthemmt, auf einen dieser vielzentnerschweren Eselbelaster zusprang und Anstalten machte, sich in dessen Hose zu verbeißen – wohl um ihn herabzuzerren. Worauf der Reiter mit dem Fuß nach ihm stieß, selbstverständlich ohne den Hund zu treffen, dafür war der viel zu beweglich.

Doch nun stürzte sich der ansonsten friedfertige Mann auf den Fettmassenmenschen zu, der es gewagt hatte, Muckel mit Fußtritten zu bedrohen. Er schrie ihn an: »Versuch so was nicht noch einmal – oder ich zerbreche dir alle Knochen; einzeln!«

Und wieder war es dann die Frau, die diese heikle Situation souverän beendete. Und wenn ihr auch das Verhalten ihres Mannes und das ihres Hundes eigentlich gefiel, bedeutete sie beiden dennoch: »So – geht das nicht! Wirklich nicht.«

Die schienen das einzusehen. Schnell ernüchtert von ihrem ungewöhnlichen, kämpferischen Betätigungsrausch, sogar ehrlich betrübt, trabten sie abwärts. Hund mit Mann voraus – die Familie hinterher; gemeinsam mit den verwandtschaftlichen Freunden. Ein geradezu peinliches Schweigen beherrschte sie alle.

Sie ließen sich dann, um einen Kaffee zu trinken, in irgendeinem Restaurant an der Promenade nieder. Die Frau setzte sich, sichtlich besorgt, ziemlich dicht neben den Mann. Und Muckel legte sich zu deren Füßen – bemüht, beide zugleich mit seinen Pfoten zu berühren, ein Vorgang, der sie nicht gleichgültig ließ. Doch die rechten Worte fanden sich nicht.

Dieses lastende Schweigen unterbrach dann, reichlich unbekümmert, die Tochter. »Na, das war vielleicht ein Anblick! Vater als Touristenrevolutionär und Muckel als Bluthund!«

»Unser Muckel«, sagte dann die Frau, nun schon ein wenig erheitert, »ist eben stets bereit, sich anzupassen. Der tut das, was man von ihm erwartet. Aber eben so was läßt sich sehr schnell mißbrauchen – wie man nun wohl gesehen hat.«

Der Kommentar des Mannes dazu war absolut eindeutig: er bestellte für den tapferen, getreuen Hund eine Portion von dessen Lieblingsspeise:

gekochten Schinken. Und das war unmißverständlich als Belohnung gedacht. Was Muckel, der sich gewürdigt fühlte, bereit war, zu genießen.

Dennoch kam keine erlösend freundliche Stimmung in dieser Runde auf. Zumal sich bald andere Hunde auf sie zubewegten – flehend herumstreunende, knochige, ausgehungerte Geschöpfe. Nahezu ein halbes Dutzend.

Muckel verzichtete auf seine Schinkenportion. Der Mann ließ einen Stapel belegter Brote bringen. Das alles wurde unter diese fast erschreckt reagierenden Hunde verteilt, die dann jedoch hingebungsvoll, mitten auf der Straße liegend, die Gaben in sich hineinmampften.

Als sich der Familienclan dann beim Strand versammelt hatte, an dem auch Hunde geduldet wurden, versuchte der Mann der Frau zu erklären: »Manchmal komme ich mir eben unsagbar hilflos vor. Es gibt einfach zu viele fürchterliche, quälende Gleichgültigkeiten in dieser Welt – auch Tieren gegenüber.«

Sie verstand ihn. »Man muß das dennoch ändern. Zumindest sollte das immer wieder versucht werden – auch in seinem eigenen persönlichen Bereich muß man das tun. Darum bemühen wir uns ja auch; Muckels wegen. Es kommt mir manchmal vor, als wäre der da, um uns eine sehr wesentliche Erkenntnis zu vermitteln.«

Mit »uns« meinte sie wohl den Mann.

An einem der nächsten Tage unternahmen sie einen gemeinsamen großen Ausflug mit dem Ziel: Gibraltar. Diese felsige, britische Kleinkolonie wollten sie sehen.

In deren Hochzonen: gepflegte Affenherden. Im Ort selbst: idyllische Engstraßen, die in zahlreichen Prospekten und Reiseführern als *überaus sehenswert* beschrieben wurden. Dekorative Abbildungen wiesen darauf hin, daß sich dort gemütliche Pubs, also Bier- und Schnapskneipen befänden; dazu Geschäfte wie in London – eine Art Miniatur-Bondstreet.

Der Mann, der sich gründlich informiert hatte, wußte einfach alles von Gibraltar: die genaue Größe, die Zahl der Einwohner, den Verlauf der Straßen. Bereits auf der Fahrt belehrte er seine Mitreisenden intensiv. Selbst Muckel schien anerkennend zu ihm aufzublicken.

Als sie dann dort ankamen, wurden sie mit großer, wohl eben britischer Höflichkeit begrüßt und willkommen geheißen: Sie alle. Jedoch mit einer liebenswürdig aber entschieden bedauerten Einschränkung: dieser Hund nicht.

Der Grund dafür wurde ihnen unverzüglich erklärt: im Königlichen Großbritannien, wozu eben auch Gibraltar gehörte, existierten zwingende, in Gesetzen festgelegte, Quarantänebestimmungen. Und die besagten: Tiere, Hunde ebenso wie Katzen, auch Lebewesen sonstiger Nichtmenschengattungen, die möglicherweise seuchenartige Krankheiten einschleppen könnten, mußten zunächst einmal isoliert werden – mehrere Monate lang.

Hier jedoch, meinte der britische Gibraltarbeamte, ließe sich dieses Problem für kurzfristige Besucher ganz einfach lösen. Denn während die Menschen dieses Gibraltar besichtigten, das durchaus sehenswert wäre, stünden für die sie begleitenden Tiere diverse Käfige zur Verfügung. Überaus geräumige, hygienisch völlig einwandfreie – Käfige – mit garantiert großzügiger, frischester Wasserversorgung.

Und die führte der britische Bestimmungsvollzugsbeamte nunmehr den Besuchern vor: fast quadratisch gezimmerte Holzgebilde, die selbst noch großen Hunden eine gewisse Beweglichkeit garantierten. Ausgestattet mit Sichtfenstern aus verdrahtetem Glas, das zwar massiv, doch ziemlich klar wirkte.

Und dort hinein sollte nun Muckel gesperrt werden, wenn auch nur für ein, zwei Stunden? So was war dem bisher noch nie in seinem Leben zugemutet worden! Durfte nicht sein.

»Warum eigentlich nicht«, meinte die Frau bedächtig.

Eine Bemerkung, die den Mann staunen machte. Aber gerade die leitete, vermutlich ganz bewußt und sehr zielstrebig von der Frau arrangiert, die wohl entscheidendste Veränderung in ihrem damaligen Leben ein – jedenfalls im Hinblick auf Mukkel. Und der schien das zu ahnen.

Den blickte nun die Frau prüfend-erwartungsvoll an, um schnell zu erkennen: der reagierte ganz in ihrem Sinn. Denn Muckel betrachtete allein den Mann – mit großen, sanften, fragenden Augen. Keinesfalls fordernd, eher neugierig.

Worauf der Mann, wohl wie erwartet, verkündete: »Also – so geht das nicht!« Womit er unbezweifelbar zu verstehen gab: er gedenke es nicht zuzulassen, daß Muckel in einen Käfig gesperrt werde.

»Gut«, sagte die Frau, »dann bleibe ich eben mit ihm hier.« Um dann sehr sanft hinzuzufügen: »Obwohl ich dieses Gibraltar sehr gerne gesehen hätte.« Ihre diesbezüglichen Einkaufspläne waren bereits festgelegt und auch finanziell abgeklärt worden; mehrmals hatte sie versichert, wie sehr sie sich darauf freue. »Doch wenn du meinst...«

»Gibraltar«, behauptete der Mann nun, sogar ziemlich überzeugend, »interessiert mich wirklich nicht besonders.« Was einfach nicht stimmte. Doch diese Ansicht zu verkünden, hielt er, im Hinblick auf Muckel, jetzt für angebracht. »Seht euch das alles an – und laßt euch Zeit! Inzwischen bleibe ich hier und beschäftige mich mit unserem Hund.«

In einen Käfig einsperren ließ er den also nicht! Auch dann nicht, wenn er damit auf den Anblick eines ihm nun greifbar nahgekommenen Kernpunktes dieser Weltgeschichte verzichten mußte. »Nun ja«, meinte sie, »wenn du unbedingt darauf bestehst – warum sollte ich dich daran hindern?«

Worauf die beiden, Hund und Mann, zurückgelassen wurden – mit tröstend fröhlichen Worten und herzlichem Abschiedswinken.

Die blickten den Gibraltarbesuchern nach – nicht besonders lange. Ein ausgedehnter nachmittäglicher Zwischenschlaf schien ihnen sicher. Hoffnungsvoll sahen sie sich an; zum ersten Mal geradezu verständnisinnig.

Zunächst spazierten sie am Rande des küstennahen Flugplatzes von Gibraltar entlang. Ab und zu schwebte dort ein Flugzeug ein, ein anderes erhob sich. Keins davon war zwar besonders groß – aber laut waren sie dennoch.

Doch darauf schien Muckel diesmal nicht zu achten, was erstaunlich war, bei seiner ausgeprägten akustischen Empfindlichkeit. Ihn interessierte allein der Mann. Und der war um ihn bemüht.

Der begab sich nun, wobei er eine große Schlafdecke mit sich zerrte – einige hundert Meter weiter, weg von dieser gewiß nicht undekorativen, doch eben recht geräuschvollen Flugplatzkulisse. Und Muckel mit ihm, tänzelnd. Doch diesmal nicht vor oder hinter ihm – vielmehr dicht neben dem Mann.

Auf einem erdigen Hügel mit bleichem Gras ließen sie sich dann nieder. Der Mann breitete seine Decke aus und der Hund legte sich unverzüglich mitten darauf, also nun nicht mehr an den Rand davon. Den verbleibenden Platz durfte sein Begleiter einnehmen.

Dann begannen sie freundlich miteinander zu spielen. Muckel sprang auf den Mann zu, stieß ihm seine feuchtnasse Lederschnauze entgegen, schien ihn überrollen zu wollen. Was sich der Mann bereitwillig gefallen ließ. Und alsbald wälzten sie sich miteinander herum.

Dabei erfanden sie auch gleich eins ihrer späteren Lieblingsspiele: Fang mich – wenn du kannst! Wobei sich Muckel als Meister schnellsten Ausweichens erwies. Seine Beweglichkeit schien sogar die von Katzen noch zu übertreffen. Schließlich hatte er ja auch deren Verhalten, *in seinem Hause,* studieren können. Doch selbst so was nutzte er nicht aus – nicht bei diesem Mann. Von dem ließ er sich gelegentlich *fangen.*

An diesem Gibraltarnachmittag gleich dreimal. Beide atmeten heftig, aber sie waren glücklich. Und dieses schöne Gefühl hielt an.

Damit begann das, was dann schließlich zu einer höchst seltenen, vielleicht auch ziemlich seltsamen Freundschaft führen sollte. Es war, als hätten sie sich stets gesucht, doch nun endlich gefunden. Aber eben nur mit der zielstrebigen Mithilfe der Frau.

Dieses Gibraltarereignis veränderte tatsächlich so gut wie alles. Denn fortan fühlte sich nun Muckel nicht mehr als scharf zu überwachender Leinenhund. Endlich war er sicher, nicht nur eine jener sogenannten *Bezugspersonen* zu besitzen, sondern gleich deren zwei; eine für die Betreuung, die andere für das Vergnügen.

Gleich am Abend nach diesen Erlebnissen bei Gibraltar ereignete sich etwas, das bisher noch niemals vorgekommen war; Muckel begleitete den Mann in dessen Schlafraum und legte sich dort vor das Bett – Vertrauter und Wächter zugleich. Als er jedoch erkannte, daß der von ihm Betreute eingeschlafen war, trabte er wieder in den Wohnbereich der Frau, um dann dort, wie bisher üblich, seine Nächte zu verbringen.

Doch gleich am nächsten Morgen, als sich der Mann von seinem Lager erhob, fand sich der hellhörige Muckel wieder bei ihm ein. Und das mit neuartigen Lauten, die erkennbar Freude ausdrückten: leicht hochgejaulte Töne. Was aber wohl lediglich kaum mehr als eine erste Übung war; später konnte Muckel ganze Kaskaden derartiger Glücksgeräusche erzeugen.

Und der Mann begann diese merkwürdigen, bisher noch niemals vernommenen Zuneigungsdemonstrationen zu genießen. Die Frau aber auch. Darauf schien sie mit geradezu unendlicher Geduld gewartet zu haben.

»Nun versteht ihr euch wohl endlich!« stellte sie fest. »Hoffentlich bleibt das nun auch so.«

Das schien tatsächlich so zu bleiben. Fortan wieselte Muckel nicht mehr unruhig zwischen ihnen hin und her, um keinen aus den Augen zu verlieren. Womit jedoch weitere Komplikationen nicht ausgeschlossen waren. Kein Menschenleben bleibt davon verschont. Und ein damit eng zusammenhängendes Hundeleben schon gar nicht.

An einem der nächsten Tage fuhren sie nach Sevilla. Die ganze ferienfreudige, erweiterte Familie. Und selbstverständlich auch der Hund.

Wobei der Mann wie immer überreichlich mit Straßenkarten und Reisebeschreibungen versehen, genau wußte, was sie sehen würden. Während die Frau nahezu verschwenderisch für Reiseproviant gesorgt hatte, einschließlich leichter Kost und

Mineralwasser für Muckel. Sie wußte, was dem guttat.

Die Fahrt würde mehrere Stunden dauern, wobei Muckel diesmal erheblichen Wert darauf legte, sich nicht auf dem Rücksitz neben der Tochter niederzulassen; vielmehr drängte er sich dem rechten vorderen Bodenplatz entgegen – also dem Mann mit seinen Plänen und Büchern. Dort wurde er willkommen geheißen.

Dann begaben sie sich landeinwärts. Über brüchige Felspfade hinweg, an strömenden Wassern vorbei, die entschlossen schienen, alle Straßen zu unterspülen. Später erblickten sie endlos anmutende Wiesen, die wie Schilfflächen waren. Und dann rollten sie über Hauptstraßen voller wellenartiger Unregelmäßigkeiten.

Um Sevilla zu sehen, waren sie offenbar bereit, das alles zu ertragen. Sie alle – doch Muckel offenbar nicht! Der hatte sich dem Mann zwischen die Beine gestellt und blickte ihn suggestiv an. So als wollte er sagen: Schau mich doch, bitte, ein wenig genauer an!

Was der schließlich bemerkte. Er beugte sich zu diesem Hund hin und betrachtete ihn aufmerksam. Um dann feststellen zu müssen: die Nase wirkte fast spitz, war nahezu ohne jeden Glanz, und die Augen verschleiert, sie schienen sogar Schleim abzusondern.

»Irgend etwas stimmt mit dem nicht«, stellte der Mann, seiner Frau zugewendet, fest.

»Das ist mir bereits gestern aufgefallen«, sagte sie. »Vermutlich handelt es sich um irgendeine Infektionskrankheit, die der sich hier zugezogen hat. Hoffen wir, daß das bald vorübergeht.«

»Wir hätten ihm diese Reisestrapaze niemals zumuten dürfen«, meinte der Mann, spürbar beunruhigt.

»Aber du hattest dich doch so auf Sevilla gefreut«, sagte sie.

»Nun nicht mehr!«

Doch jetzt befanden sie sich bereits kurz vor dieser Stadt. »Abgekürztes Programm!« ordnete der Mann an. Er betrachtete Muckel mit steigender Besorgnis.

Sie speisten schnell in irgendeinem Restaurant – Muckel nahm keinen Bissen zu sich. Dann besichtigten sie die herrlich-geheimnisvolle, dunkle Kathedrale. Frau und Mann nacheinander – einer von ihnen blieb immer bei ihrem Hund zurück, der ziemlich erschöpft wirkte.

Darauf begaben sie sich zum maurischen Palast: verschwenderisch ineinander geflochtene Ornamente, kühlglatte Marmorwände, sanft dahinplätschernde Wasserspiele. Wobei dem Mann ein ungewöhnliches Arrangement mit den Palastwächtern gelungen war. Denn Hunde, besagten deren Vorschriften, durften diesen geheiligten Boden nicht betreten, nie und nimmer. Sie jedoch dort herumzutragen, verbot kein Gesetz.

Und das tat der Mann. Er trug Muckel wie ein geliebtes Kind in seinen Armen. Und der schmiegte sich dankbar an ihn. Doch eben so, Auge in Auge mit dem Hund, vermochte er dessen Krankheit immer deutlicher zu erkennen.

»Wir sollten das beenden«, entschied er mit einem fragenden Blick auf seine Frau, die zustimmte, weil sie nun wußte: wenn der jetzt *wir* sagte, dann meinte er damit auch Muckel. Sein Vorschlag wurde angenommen.

Gleich am nächsten Morgen ließ sich der Mann am Flugplatz Granada absetzen. Er gedachte die schnellste Transportmöglichkeit zu benutzen, um zu Hause eine möglichst intensive Betreuung ihres Hundes vorzubereiten. Währenddessen würde sich der Familienclan mit Kind und Kegel, einschließlich einer noch in der Nacht vorbereiteten Spezialliege für Muckel, im Auto nach Norden begeben.

Das wurde ein langer Abschied am Flugplatz. Der von seiner Krankheit sichtlich gezeichnete, doch tapfer dastehende Muckel schmiegte sich heftig an ihn, drängte ihm seinen kleinen Körper entgegen, war ganz still. Er blickte den Mann an – rührend vertrauensvoll.

Die Flugverbindungen wollten dem immer unruhiger werdenden Mann quälend unvollkommen erscheinen. Erst nach zwanzig Stunden erreichte er ihr bayerisches Heimatdorf. Dabei jedoch hatte er ausreichend Zeit gehabt, über all das nachzudenken, was da so in den letzten Wochen an seltsamen Ereignissen auf ihn zugekommen war.

Wobei er sich immer wieder versucht fühlte, diese Rechnung aufzustellen: Muckel war inzwischen sieben Jahre alt geworden. Was bedeutete: er hatte, nach allgemein gültiger Annahme, bereits mehr als die Hälfte seines Lebens hinter sich gebracht! Woraus sich ergab: welch eine Unmenge Zeit hatten sie vergeudet, bevor sie sich so nahe gekommen waren.

Noch am späten Abend rief der Mann den Arzt der Tiere in dessen Praxis an. Und obgleich es nahezu Mitternacht war, arbeitete der immer noch. Eine wunderschöne schwarze Katze, berichtete er, sei mit schweren Bißwunden eingeliefert worden – die stammten möglicherweise von Schäferhunden; von ganz bestimmten, in dieser Gegend bekannten. Dieser Katze jedenfalls, was ihn allein zu interessieren habe, wären die Knochen eines Hinterbeines mehrfach zerbissen worden. Ein Vorgang also, der gemeinhin für irreparabel, also daseinsbeendend gehalten wurde. Nicht jedoch von ihm.

Was den Arzt aber nicht davon abhielt, aufmerksam zuzuhören. Muckels neueste Heimsuchungen interessierten ihn ungemein. Das anhaltende Kopfschütteln des Arztes bei diesem Ferngespräch vermochte der Mann glücklicherweise nicht zu erblicken. Er hörte ihn lediglich berufsgerecht ermunternd sagen: »Mal sehen, was sich da machen läßt. Nur keine unnötigen Sorgen, bitte! Sobald unser Muckel hier eintrifft, bringen Sie ihn zu mir – ich halte mich bereit.«

Danach schlief der Mann erleichtert ein; bis tief in den nächsten Tag hinein. Bis dann Muckel kam. Der schien, erzählte ihm die Frau, nach dieser strapaziösen Heimreise aus einem schweren, fiebrigen Krankheitstrauma zu erwachen. Sobald er ihm bekannte landschaftliche Einzelheiten erblickte, stellte er sich auf, blieb breitbeinig stehen, zitterte seitdem nicht mehr. Als sie bei ihrem Haus angekommen waren, stürzte er sich ins Freie – dem Mann entgegen. Die Frau hatte für ihn die Tür des Reisewagens geöffnet; mit großer einladender Geste.

Worauf Muckel durch den Vorgarten wieselte – wohl leicht schwankend, doch mit zielbewußter Entschlossenheit. Er stieß die nur angelehnte Haupttür ihres, seines Hauses mit dem Kopf auf, stürzte sich weiter, leicht keuchend, aufwärts – die große Treppe hinauf, in das Arbeitszimmer des Mannes.

Dort angekommen, stieß er rauhe, doch ungemein herzliche Begrüßungslaute aus. Um sich dann dem Mann, der an seinem Schreibtisch saß, zu Füßen zu legen – nun endgültig erschöpft. Und der Mann kniete sich nieder, wagte es aber nicht, Muckel zu umarmen – der kam ihm unsagbar schwach und gefährdet vor.

»Nun bist du also endlich da – mein Freund!« sagte er lediglich.

Gleich darauf wurde dann Muckel – gemeinsam von Frau und Mann – zum Arzt der Tiere transportiert. Der hatte bereits auf ihn gewartet. Alle Lampen und seinen Durchleuchtungsapparat eingeschaltet.

Alles lief so ab, wie sich das in dieser Familie eingespielt hatte. Die Frau allein betreute Muckel wirklich. Mit ihr und von ihr lebte er; auch in schwierigen Situationen war sie stets für ihn da. Also auch dann, wenn er auf dem Operationstisch lag.

Während der Mann bisher lediglich für die Finanzen und den Transport zuständig gewesen war. Auch diesmal wartete er vor dem Haus des Arztes der Tiere. Doch nunmehr – alles andere als gleichgültig.

Aber bald hielt er es nicht mehr aus, abwartend in seinem Fahrzeug zu sitzen. Er begann die Straße auf und ab zu gehen, immer nur ein kurzes Stück. Wie in einem Käfig gefangen.

Währenddessen verkündete der Arzt, der den Hund gründlich untersucht hatte, maßlos erstaunt: »Das, was da mit Ihrem Muckel geschehen ist, verehrte gnädige Frau, kann man wohl als ziemlich einmalig bezeichnen. Zumindest bei uns, im mittleren Europa.«

»Worum, bitte, handelt es sich denn, Herr Doktor?«

»Um eine nur noch in Afrika registrierte Krankheit – um eine fieberhafte Seuche, auch Staupe genannt. Die hat nun wohl schon bis nach Spanien übergegriffen.«

»Ist so was – lebensgefährlich?« fragte sie angstvoll.

»Das wäre es gewesen – noch vor ein, zwei Jahren. Doch inzwischen sind gegen diese Krankheit recht wirksame Medikamente entwickelt worden.

Und die habe ich mir inzwischen besorgt. Ihr Mann hat mir die Krankheitssymptome ziemlich genau geschildert. Was mir ermöglicht, unseren Kleinen wieder mal wirksam zu verarzten. In spätestens einer Woche, nehme ich an, tollt der wieder herum – wie eh und je.«

Doch das war bei diesem einzigartigen Stehaufmännchen bereits nach zwei, drei Tagen der Fall. Sein Zottelfell begann wieder zu glänzen; seine Ledernase signalisierte Gesundheit, war also von feuchter Frische. Sogar seine schlauen Augen leuchteten wieder klar.

Dementsprechend präsentierte sich dann Muckel dem Mann, stellte sich vor ihm auf – leicht breitbeinig wie immer, wenn Ungewöhnliches in ihm vorging. Es war, als wollte er sagen: Na, siehst du, Mensch, nun bin ich wieder da – bei dir; ganz für dich.

»Fein, Muckel«, sagte der Mann nicht ohne Rührung. Doch wie bemüht, sich nicht allzu lange bei derartig schönen Hochgefühlen aufzuhalten, fügte er hinzu: »Und was, meinst du, veranstalten wir als nächstes?«

Noch am gleichen Abend kam es dann zu einer weiteren, bemerkenswerten, neuartigen Situation. Als sich der Mann in sein Schlafzimmer zurückzog, folgte ihm Muckel – was an sich, nach Gibraltar, noch nichts Ungewöhnliches war. Doch diesmal legte er sich nicht auf den Läufer vor dessen Bett, sondern auf die Decke auf dem Bett, dicht beim Fußende. Wo er offenbar zu schlafen begehrte.

Vorsorglich verständigte der Mann die Frau – leise, um Muckel nicht zu stören. »Schau dir das an!« Schließlich wußte er, daß dieser Hund alle Nächte seines Daseins in ihrer unmittelbaren Nähe verbracht hatte. Mithin mußte er wohl annehmen, daß bei Muckels nunmehrigem Verhalten gewisse

Komplikationen so gut wie unvermeidbar waren.

Doch die Frau sagte ganz einfach: »Welch ein schöner Anblick!« Um dann hinzuzufügen: »Aber so, mein Lieber, geht das nicht.«

Aha, dachte der Mann, verständnisvoll, aber doch mit leichtem Bedauern. Doch auch dabei hatte er, wieder einmal mehr, viel zu voreilig gedacht. Die Frau beeilte sich lediglich, Muckel in eine leichte Decke zu hüllen. »Noch ist er nicht ganz gesund – er darf sich unter keinen Umständen erkälten.«

Dann streichelte sie ihn, zart und verständnisvoll. Der schnaufte dankbar auf; der Mann gleichfalls. Große Harmonie verband sie alle.

Am nächsten Morgen schien Muckel immer noch genau dort zu liegen, wo er sich am Abend hingelegt hatte. Es war, als habe er sich nicht einmal gerührt. Doch derartig bedenkenlos ergeben und bereitwillig anschmiegsam war der nicht.

Der wollte sein Muckelleben haben!

9.
Die Freuden in den Dörfern

Zwei Dörfer dominierten im Leben dieses Hundes. Das eine war jenes seiner Heimat, in Oberbayern, Feldafing beim Starnberger See. Das andere das Dorf im Tessin, Caslano, am Ende des Sees von Lugano. Und von beiden kannte er jeden Winkel, jedes Haus, fast alle Tiere und Menschen. In nahezu allen Einzelheiten.

Hier wie dort gelangen ihm wunderbarste Expeditionen, herrlichste Spaziergänge, verschiedenartigste Abenteuer. Doch ganz gefahrlos war das alles nicht. Denn in einem seiner Dörfer gab es eine vielbefahrene Autostraße; in dem anderen schienen mächtigste Schäferhunde schon jahrelang auf ihn zu lauern.

Doch nun war der Mann inzwischen für ihn zu einem Freund geworden, zu einem gefälligen Spielgefährten und bereitwilligen Mitspaziergänger. Und wenn er auch, seines Berufes wegen, viel unterwegs sein mußte, so bemühte er sich doch, bald nicht mehr als zwei oder drei Wochen wegzubleiben. Dann kehrte er wieder heim – zu seiner Familie, zu seinem Muckel. Oder er ließ die zu sich kommen.

Wobei sich immer wieder herrlichste Begrüßungsszenen ergaben – ob auf einem Bahnhof im Tessin oder bei ihrem Haus in Oberbayern. Muckel führte dabei phantastischste Freudentänze auf. Er stellte sich auf die Hinterbeine, veranstaltete kreiselartige Bewegungen, um erst dann auf den Mann zuzuspringen.

Einzigartig waren auch die Lautgebilde, die dieser seltsame Hund dabei ausstieß. Seine Skala an phonetischen Möglichkeiten mutete nun geradezu riesig an: er jaulte, schniefte, bellte, knurrte, schrie vor Wonne auf! Allergrößtes Glücksgefühl zu demonstrieren, gelang ihm dann so gut wie mühelos.

Zufällige Betrachter solcher Szenen vermochten wohl kaum eine gewisse Rührung zu verbergen. Allein hartgesottene, hundefeindliche Zeitgenossen zogen sich nahezu bestürzt zurück – absolut verständnislos, mit anhaltendem Kopfschütteln. Hund mit Mann jedoch ließen sich dabei von nichts und niemandem stören.

Und die Tochter meinte zu ihrer Mutter: »Die beiden ziehen da vielleicht eine Schau ab – richtig gekonnt!«

Vom sogenannten *Liebesleben* dieses Hundes ist – soll man nun *leider* sagen? – nichts Ungewöhnliches zu berichten. Auch wenn es, ganz selbstverständlich existierte. Etliche seiner Ausbrüche hingen gewiß damit zusammen.

Wenn irgendwo irgendein weibliches Hundewesen läufig war, ob nun in Feldafing in Bayern oder in Caslano im Tessin, fand sich in deren Nähe selbstverständlich auch Muckel ein. Bei derartigen Belagerungen fehlte er niemals. Auch wenn er zumeist lediglich eine Art Beobachtungsposten bezog.

Sobald derartige Vorgänge erkennbar, besser wohl erriechbar waren, lauerten bald alle Hunde herum: unternehmungsfreudige Dackel ebenso wie mächtige Bulldoggen, klugraffinierte Bastarde, einherhüpfende Pinscher, sogar ein gigantischer Bernhardiner. Und eben noch, angriffsbereit im Hintergrund – diese ganz scharfen, immer heftiger beißwütig bellenden Schäferhunde.

Doch zunächst einmal belauerten sich diese Männerhunde gegenseitig. Doch solange keiner von ihnen direkt *zum Zuge* kam, schien alles so gut wie in Ordnung zu sein. Dann lagerten sich diese erklärt entschlossenen Weiberverfolger fast traulich vereint nebeneinander.

Dabei war es, als könne Muckel dieses im Grund wenig sinnvolle Spiel durchschauen. Soviel Einsicht war ihm durchaus zuzutrauen. Offenbar hatte er nach seinen zahlreichen lebensgefährlichen Erfahrungen seine Möglichkeiten erkannt. Er war eben nunmal ein eher kleiner Hund – dementsprechend, klug wie er inzwischen war, sich seiner Grenzen bewußt. Mithin schien es ihm ratsam, sich bei derartigen Exzessen zurückzuhalten.

Und dementsprechend verhielt er sich auch, als eines Tages der Mann mit ihm einen Spaziergang entlang dem Seeufer unternahm. Wobei sie einer Hündin begegneten, die sie bereits seit vielen Jahren kannten: ein mittelgroßes Mischlingsgeschöpf, wohl ohne besondere Schönheit, doch von liebenswertem Wesen, mit graziösen Bewegungen. Und dieses Tier wurde, da es gerade wieder einmal *läufig* war, von drei Freiern gleichzeitig attackiert.

Bei diesem Anblick knurrte Muckel unwillig auf – vielleicht auch, weil er dabei nicht die geringste Chance erblickte, auch noch einzugreifen. Der Mann aber legte dessen Regung als mitfühlende Empörung aus. Was ihn mutwillig dazu veranlaßte, den Versuch zu unternehmen, diese geschlechtsberauschten Wesen voneinander zu trennen.

Was sich daraus dann ergab, vermochte den Mann damals noch regelrecht zu schockieren. Denn nicht nur die drei begattungsbereiten Hunde wendeten sich entschlossen gegen ihn, sondern die Hündin auch! Sie begehrte das zu genießen, wonach es sie unbändig verlangte.

Die alljährlichen Folgen davon waren den aufmerksamen Spaziergängern bekannt. Denn sie hatten die Tragödie dieser Hündin bereits einige Male erleben müssen; mit fürchterlicher Regelmäßigkeit. Der Besitzer dieses Tieres, ansonsten ein solides und anständiges menschliches Wesen, erwies sich seiner Hündin gegenüber völlig gnadenlos.

Er entzog ihr die von ihr soeben geborenen Kinder, packte sie in einen Sack und versenkte den dann im See. Von völlig ungefährlichen und auch keinesfalls sonderlich kostspieligen medizinischen Eingriffen, die derartige Tragödien mühelos verhindert hätten, schien dieser Gewaltkerl nichts zu halten. Möglich aber auch, daß er nichts davon wußte.

Dieses alljährliche Nachspiel mutete unendlich traurig an. Tagelang stand dann die Hündin wie erstarrt am Ufer und blickte auf den See hinaus. Wobei es vorkam, daß sich dann Muckel eine Zeitlang neben sie stellte – der Mann sich in deren Nähe niederließ.

Doch die Hündin blickte, wie traurig gebannt, allein auf eine ganz bestimmte, ihr wohl genau bekannte Stelle in diesem See.

Gleich auf dem Nachbargrundstück im Caslano-Dorf existierte eine überaus dekorative, hochrassige Terrierhündin mit allerbestem britischen Stammbaum. Und wenn Muckel auch von höchstem bayerischen Hundeadel war, so vermochte man ihm das, bei seiner gepflegten Ungepflegtheit kaum anzusehen. Diese beiden vertrugen sich aber dennoch recht gut.

Dieses weibliche Hundewesen hörte auf den Namen Sissi. Und seine Besitzerin war eine Dame von herzlich-mitfühlender Wesensart. Sie empfand für Muckel alsbald eine ganz besondere

Zuneigung. Der durfte sie jederzeit besuchen; für den ließ sie dann sogar ein leicht zu öffnendes Zwischentor im Gartenzaun anfertigen.

»Der«, pflegte sie von Muckel zu sagen, »ist absolut einzigartig – ein Hund wie ein Mensch!«

Muckel betrachtete denn auch alsbald dieses Nachbarhaus als etwas, das seinem engeren Bereich zugehörte; nur selbstverständlich, daß er auch dort seine Familienspiele aufführte. Dort ließ er sich zusätzlich füttern; um dann gelegentlich mit Sissi herumzutollen. Aber nur bei ihr. Denn auf seinem ureigenen Grundstück duldete er selbst sie nicht; das gehörte allein ihm.

Als dann diese Sissi wieder einmal läufig geworden war, wurde das Zwischentor verschlossen, das Haupttor vor dem Nachbarhaus auch. Das wurde schnell von Hunden aller Arten belagert, in großer Zahl. Auch Muckel überkam heftige Unruhe – stundenlang hielt er sich am Zaun auf. Er versuchte ihn sogar zu unterwühlen. Und kein noch so gut gemeinter Beschwichtigungsversuch vermochte ihn abzulenken.

Doch dann hatte die Besitzerin von Sissi einen Einfall, den sie bei einem Gespräch der ihr inzwischen befreundeten Nachbarin – über den Zaun hinweg – mitteilte: »Warum sollte der eigentlich nicht? Wenn einer, dann er.« Muckel durfte also – zu der Hundedame.

Das Ergebnis dieser Verbindung war recht sehenswert: Sissi gebar drei Kinder. Und obgleich diese Hundedame selbst leicht silbergrau war, zeigten sich ihre von Muckel erzeugten Neugeborenen dennoch mit tiefschwarzem Fell. Und sie alle besaßen Pudelgesichter; allein ihre Körper waren die eines Terriers.

Bei der Geburt dieser prächtigen Bastarde war

Muckel übrigens zugegen, gerührt bestaunt von Nachbarin und Frau. Wobei jedoch wohl kaum anzunehmen war, daß sich Muckel als eine Art treusorgender Vater gefühlt haben könnte. Der war nichts als neugierig.

Einige Wochen später wurde dann eins dieser Geschöpfe in Muckels Familie aufgenommen – ein überaus beweglicher, hellwacher, hochintelligenter Mischling. Er erhielt, herzlich willkommen geheißen von Frau und Tochter, den Namen einer Romanfigur – er wurde Anton genannt. Und weil jeder Hund, wenn irgend möglich, einen Menschen zugeteilt bekommen muß, der ihn betreut, geriet Anton in die Hände der Tochter – was für beide wahrlich keine schlechte Wahl war.

Diese Neuerwerbung schien Muckel nicht im geringsten zu beeindrucken, geschweige denn zu beunruhigen. Zumal sich auch in seiner engeren Umgebung inzwischen fünf Katzen versammelt hatten; Geschöpfe von großer Verschiedenartigkeit und von höchst eigenwilligem Wesen. Nicht einmal gegen die hatte er irgend etwas einzuwenden. Da die ihn erkennbar respektierten, respektierte er sie auch.

So ähnlich war es wohl auch mit diesem Anton. Nicht das geringste deutete darauf hin, daß Muckel ihn als seinen Sohn betrachtete. Es gab keine väterlichen Betreuungsspiele, nicht einmal die Andeutung von erzieherischer Einflußnahme. Doch Anton benahm sich in Muckels Gegenwart überaus gesittet. Was nicht ausschloß, daß er ansonsten ein ziemlicher Raufbold war und alsbald Anstalten machte, sich zum großen Wächter dieses Hauses aufzuspielen.

Versuche, die Muckel, wenn er sie überhaupt beachtete, nur gähnend zu registrieren schien. Schließlich wußte er mit absoluter Sicherheit: hier, in diesem Bereich, war er nicht nur ein Tier unter einem halben Dutzend anderer – hier war er die erklärte Nummer eins.

Er wurde, das stand fest, von der Frau geliebt, und jetzt auch, nun unbezweifelbar, von dem Mann endlich wie ein Freund behandelt. Dazu noch von der Tochter mit Herzlichkeit geschätzt. Und wer hier sonst noch lebte, begegnete ihm stets mit einer gewissen Achtung. Dementsprechend behandelte er auch sie, als wären sie mit ihm engstens verwandt – was jedoch einen gewissen souveränen Abstand seinerseits niemals ganz ausschloß.

Etliche Wochen später kam es zu einem ebenso scheußlichen, wie tragischen Vorgang: Sissi, diese gepflegte, stets freudige, überaus sehenswerte Terrierdame – Muckels Spielgefährtin, Antons Mutter – wurde überfahren.

Und zwar von der Frau, die ihre Sissi so ungemein liebte, die ihr Muckel zugeführt hatte – von der sogenannten Besitzerin. Als die ihr Fahrzeug rückwärts aus der Garage steuerte, geriet das freundlich auf sie zuspringende Tier unter die Räder.

Wie zerstampft, also wohl auf der Stelle tot, lag Sissi dann da. Die Frau schrie auf und alarmierte so ihre Nachbarin, die unverzüglich herbeieilte, um sie zu trösten. Beider Trauer war groß.

Dann ereignete sich etwas, das absolut ungewöhnlich, kaum vorstellbar war. Selbst intensive Betrachter und Kenner der sogenannten Tierszene, hielten das für ein Ereignis sondersgleichen.

Tiere eilten herbei – als hätten sie, auf weite Entfernung, gewittert, was hier geschehen war. Sie schienen allein ihrem Instinkt zu folgen – Katzen ebenso wie Hunde. Gemeinsam umlagerten sie trauernd dieses tote Geschöpf, das sie seit Jahren kannten. Und das mit bannender Lautlosigkeit.

Auch Muckel hatte sich eingefunden. Er legte sich dicht zu Sissi, fast als müsse er sie beschützen, abschirmen. Warum, weshalb, vor wem – das wußte er sicherlich nicht.

Dieser Anblick stimmte den Mann unendlich traurig; erzeugte aber auch ein dankbares Glücksgefühl in ihm. Denn wieder einmal mehr bestätigte es sich: dieser sein Hund war einzigartiger Gefühlsregungen fähig!

Die Erklärung dafür ist möglicherweise ganz einfach. Nicht Abstammung, Rasse, genetische Details, sind entscheidend; weit wichtiger ist das *Milieu*, in dem so ein Wesen lebt. Die Welt der Menschen wird zu seiner Welt – und dieser Hund war eben das geworden, was er im Lebensbereich seiner Menschen sein durfte. Quälende Krankheiten, gefährliche Verletzungen, beharrliche Verfolgungen zählten nicht mehr. Es war ein gutes, glückliches Leben – mit Augenblicken, in denen es sogar herrlich genannt werden konnte.

Am Abend eines Tages, als Muckel wieder einmal, freudig enthemmt und fröhlich lautstark den endlich angereisten Mann, den Freund, auf dem Bahnhof begrüßen konnte, dehnte er diesmal sein einzigartiges, getanztes und gesungenes Begrüßungszeremoniell nicht allzu lange aus. Offenbar fühlte er sich gestört, abgelenkt. Und bald erkannte der Mann, woran das lag.

Da wieselte nämlich ein Hund auf dem Bahnhofsgelände von Lugano herum – heftig suchend, mit zitternder Besorgnis und fast kleinkindhaftem Gewinsel. Offenbar hatte der seinen Menschen verloren. Oder eben: der Mensch seinen Hund.

Dieser Hund war von ähnlicher Größe wie Mukkel, auch von gleicher Rasse. Er sah fast so aus, als wäre er ein Bruder von ihm; auch wenn er ungemein hergerichtet, also dekorativ frisiert in Erscheinung trat. Er besaß sogar die gleichen großen, dunklen Frageaugen wie Muckel; aber in den seinen flackerte geradezu panische Angst.

Diesem bebenden Paradepudel stellte sich nun Muckel in den Weg, brachte ihn zum Stehen und stieß fordernd seinen dicken Kopf gegen dessen Nase. Dabei gab er einige seiner seltsamsten Laute von sich, die sich wie eine hervorgeknurrte Beschwörung anhörten. Bald standen sie eng nebeneinander da.

»Was, bitte«, fragte der Mann, wohl reichlich ratlos, »mag sich unser Hund dabei denken?«

Und wieder einmal erwies sich die Frau, wie im Bereich ihrer Tiere immer, als erfahren und souverän. »Was hier vor sich geht, ist doch klar. Muckel mag dieses Tier. Und darauf müssen wir nun wohl Rücksicht nehmen.«

»Werden wir auch«, nickte der Mann. Neuerdings äußerte er keine warnenden Bedenken mehr, wenn es um Muckel ging – der sollte so leben, wie es ihm Freude machte. »Also«, schlug er deshalb vor, »warten wir hier noch ein wenig – vielleicht stellt sich der Besitzer des Hundes wieder ein. Denn zur Polizei werden wir den nicht bringen. Ich glaube, das wäre Muckel nicht recht. Was meinst du?«

Sie antwortete genauso, wie er es erwartet hatte: »Wenn wir ein Tier, das uns oder eben nun Muckel zugelaufen ist, gleich der Polizei ausliefern, würde es in eine völlig fremde Welt hineingeraten, womöglich sogar in einen Käfig gesperrt werden. Und das könnte diesem Hund nur schaden. Der sieht bereits jetzt schon reichlich überfordert aus.«

Da der zu diesem Hund gehörende Mensch nicht erschien, wurden die beiden – also dieser herrlich gepflegte Pudel und dieser prächtig verwilderte Muckel – heimwärts transportiert. Aneinandergelehnt hockten sie auf dem Rücksitz, wie eng zusammengehörend.

Zu Hause angekommen, trabten sie, Muckel voraus, in den Keller. Dort legten sie sich auf eine Felldecke, die eigentlich dem Kater Schnuff gehörte. Doch der machte ihnen bereitwillig Platz, schien geradezu beglückt, diesem Tier Nummer eins endlich auch einmal einen Gefallen tun zu dürfen.

Der Mann betrachtete die beiden Pudelwesen mit steigendem Interesse. »Tatsächlich – die scheinen sich sehr zu mögen! Falls man die nun nicht mehr voneinander trennen müßte – einfach nicht auszudenken, was sich daraus alles ergeben könnte!«

Was überaus vielversprechend klang, jedoch die praktisch denkende Frau nicht zu überzeugen vermochte. »Leider gehört der uns aber nicht.« Worauf sie den Polizeibeamten Paulaner verständigte, jenen Ordnungshüter, dessen ganz besondere Qualitäten sich schon mehrmals als ungemein hilfreich erwiesen hatten.

Der erschien unverzüglich. Höchst aufmerksam ließ er sich von der Frau die Situation erklären. Worauf er dann, sozusagen kriminalistisch geschult, in Aktion trat. Er begab sich in den Keller.

Dort besichtigte er die beiden Hunde, von denen Muckel ihm ja schon *amtsbekannt* war. Nach prüfenden Blicken stellte er dann fest: »Dies dürfte ein ziemlich klarer Fall sein. Denn dieser Besucherhund ist die hochfrisierte Gepflegtheit in Person; allein sein Halsband scheint ein kleines Vermögen gekostet zu haben. In den sind also erhebliche Summen investiert worden – und so was verliert man nicht gerne.«

Nur ein einziges Telefongespräch, geführt mit

der Polizeistation Lugano, genügte, um alles aufzuklären. Er erhielt die Bestätigung, daß dort ein derartiger Hund als vermißt gemeldet worden war. Die Besitzerin werde unverzüglich verständigt. Und sie kam dann auch, kaum eine halbe Stunde später, angerauscht – in einem stattlichen Prunkwagen, gesteuert von einem uniformierten Dienerwesen.

Diese Dame wirkte ungemein ansehnlich, aber auch überaus freundlich, wenn auch mit einer reichlich lauten Stimme ausgestattet: »Ich danke Ihnen, daß Sie meinen Liebling in Sicherheit gebracht haben.« Allein der Gedanke, daß auch sein Muckel jemals *Liebling* genannt werden könnte, kam dem Mann einfach absurd vor. Und weiter sagte sie: »Bitte, lassen Sie mich wissen, welche Unkosten Sie gehabt haben – die werden Ihnen großzügig erstattet.«

Ein Angebot, das den Mann verstummen ließ. Er brachte lediglich einige einladende Bewegungen zustande und führte die Dame in den Keller hinunter. Als sie dort ihren geliebten Luxushund erblickte, rief sie ihm anklagend zu: »Wie konntest du nur – mir so was antun, mein Liebling!«

Worauf der sich, leicht aufächzend, von Muckel löste, gehorsam-ergeben auf sie zutrabte, um dann die ihm entgegengestreckte Hand zu belecken. Bei diesem Anblick miefte Muckel zutiefst betrübt, fast schluchzend auf. Der Mann zog sich eilig zurück.

Er wollte, konnte einfach nicht mit ansehen, wie dieses weibliche Wesen ihren Hund vereinnahmte, ihn abschleppte – wenn auch wohl herrlichen, geldgepolsterten Zeiten entgegen. Die Frau jedoch entzog sich dieser Situation nicht. Sie und Muckel geleiteten die dekorative Luxusdame mit ihrem armen Prachthund hinaus – bis zu deren Staatskarosse hin.

»Ich danke Ihnen noch einmal von Herzen dafür, daß Sie meinen Liebling betreut und bei sich aufgenommen haben.« Auf welchen Namen der eigentlich hörte, erfuhren sie nicht. Worauf diese Dame dann noch, nach einem fast betrübten Blick auf den verloren dastehenden, verwilderten Muckel, meinte:

»Auch der ist gewiß sehr lieb. Doch er benötigt dringend einen erstklassigen Friseur. Ich bin gerne bereit, dem unseren«, also dem ihres Pudels, »zu empfehlen, sich mit Ihrem Hund zu beschäftigen. Aus Dankbarkeit. Darf ich Ihnen meine Karte überreichen? Ich hoffe, Sie besuchen uns bald einmal – Sie können gerne Ihren Hund mitbringen.«

Sie fuhren davon. Muckel verkroch sich in einer dichten Gartenhecke; vermutlich suchte er nach dort von ihm vergrabenen Knochen. Frau und Mann verbrachten einen langen, nachdenklichen Abend.

Dann schien auch dieses Ereignis vergessen zu werden. Schließlich hatten sie mit sich selbst immer noch genug zu tun. Wobei sich Hund und Mann nunmehr um ein neues, endgültiges Arrangement bemühten.

Wo nun auch immer sie sich befanden – ob in ihrem bayerischen Heimatdorf oder in ihrem Ferientessin –, fortan begegneten sie einander mit aufmerksamstem Entgegenkommen. Einer schien den anderen zu fragen: Also, bitte, – was kann ich für dich tun?

Daraus ergab sich dann ein bemerkenswertes Zeremoniell, das bis zum Ende ihres gemeinsam verbrachten Lebens eingehalten wurde; also glücklicherweise noch etliche Jahre. Es begann stets in dem Augenblick, in dem sie vor der Tür ihres dörflichen Hauses angelangt waren. Muckel wurde fortan niemals mehr an die Leine gelegt – die trug der Mann, lediglich aus Sicherheitsgründen, mit sich herum. Dabei einigten sie sich über das, was nunmehr geschehen sollte.

Zumeist bedeutete der Mann dem Hund mit einer knappen Geste: Das, mein Kleiner, ist dein Spaziergang; bewege dich also, wohin du willst – ich werde dir folgen! Wesentlich seltener stellte er die Forderung: Dies, mein Lieber, ist mein Tag; lasse mich also hingehen, wohin ich will – die Hauptsache ist, du folgst mir nach! Spielregeln, die dann von beiden exakt eingehalten wurden.

Wobei sich allerdings die von Muckel gewählten Wege als ungleich interessanter erwiesen. Denn der spürte anderen Tieren nach: freundlichen Hunden, dahockenden Katzen, herumschwimmenden Enten; doch niemals mit verfolgerischem Jagdeifer. Derartige infantile Regungen waren inzwischen freundlichen Betrachtungsfreuden gewichen – vermutlich hatte Muckel eingesehen, daß er kein Wildhund war. Und alle Tiere, die ihm begegneten, schienen das zu wittern.

Möglicherweise ahnte Muckel aber auch, daß dieser Mann eine ganz besondere Schwäche für dieses, seines Hundes Verhalten besaß. Den beglückte es offenbar, eine gewisse Harmonie zwischen Tier und Mensch zu spüren.

Dazu gehörten auch wohl, jahrelang befürchtet, die Begegnungen mit jenen ungemein bedrohlichen, lautstarken, machtgewaltigen Schäferhunden beim See. An denen war Muckel einstmals schleunigst vorübergeeilt. Wobei er den ihn begleitenden, ihn an der Leine haltenden Mann äußerst kraftvoll nach sich gezogen, fast gezerrt hatte. Nicht ohne den großen Hunden seine Besitzansprüche vorgepinkelt zu haben.

Nunmehr jedoch, da sie, der Mann und er,

Freunde waren, fühlte sich Muckel beschützt und geborgen. Und wohl deshalb glaubte er, sich geradezu verwegene Demonstration seiner Selbstgefälligkeit leisten zu können. Ausgerechnet diesen Tiermonstren gegenüber!

Vor denen blieb er neuerdings längere Zeit stehen. Auch wenn die sich hinter einem dickmaschigen Drahtzaun befanden, betrachtete er sie ausgedehnt blinzelnd. Um dann graziös und fast tänzerisch eines seiner Hinterbeine zu heben – wie zumeist sein rechtes.

Ein Anblick, der diese Schäferhunde in höchste Erregung zu versetzen schien. Die sprangen aufprallend gegen den Drahtzaun, überschlugen sich dabei geradezu artistisch gekonnt. Dann jaulten sie mit Inbrunst diesem Muckel entgegen – den wollten sie offenbar unbedingt haben.

Doch Muckels Dasein verlief nun in großer Geruhsamkeit. Nach wie vor war und blieb die Frau die erklärte, geliebte Hauptperson in seinem Leben. Das nicht zuletzt wohl deshalb, weil er ihr ja auch die mühsam errungene Freundschaft mit dem Mann zu verdanken hatte.

Dennoch stellten sich, ganz natürlich, auch weitere, nicht ungefährliche Probleme ein. Vor allem hingen die mit den größeren Städten zusammen. Dort Hund zu sein, war wahrlich nicht ganz leicht. Immerhin gab es in diesen Bereichen ganz gewiß Häuserblocks mit wunderbarsten Duftmarkierungen; dazu Parkanlagen und Freiplätze. Jedoch kaum große Gärten, weite Wiesen und wunderschöne Feld-, Wald- und Moorwege.

Diese großen Städte schienen auch randgefüllt mit fürchterlichen Krankheitserregern zu sein. In München trank Muckel aus einem Brunnen, um sich danach erbrechen zu müssen; fast eine Stunde lang, mit würgendem Keuchen. In Berlin mußte er in einem Winter Straßen überqueren, die mit erheblichen Salzmengen eisfrei gemacht worden waren; worauf sich seine Pfoten danach in Fetzen aufzulösen drohten. Und in Mailand verspeiste er Fische, die vermutlich vergiftet waren; tagelang litt er darunter, heftig vor sich hinspuckend.

Doch so gefährlich das auch alles war, nichts davon vermochte Muckel umzubringen. Der war offenbar vorgesehen dafür, ein mehr als biblisch langes Leben verbringen zu dürfen. In seinen letzten Tagen mutete er unsagbar weise, unendlich verständnisvoll an. Allem und jedem gegenüber.

Zuvor kam es dann, – und man konnte fast sagen: endlich, endlich! – zu jener Konfrontation, die Muckels Menschen, sein Leben lang, als größte aller seiner Bedrohungen angesehen hatten. Es war die unmittelbare Begegnung mit diesen Schäferhunden.

Und diese geradezu phantastische Konfrontation, ein Ereignis sondergleichen, das dementsprechend auch ausführlich zu beschreiben war, gehörte alsbald zu den Lieblingserzählungen des Mannes. »Einfach umwerfend«, pflegte er dann zu berichten, »was damals geschehen ist!« Bei einem Muckel blieb ihm wohl gar nichts anderes übrig, als selbst noch neue Erkenntnisse hinzunehmen.

Dabei begann auch diesmal alles reichlich harmlos. Es geschah an einem klaren Hochsommertag mit mittleren Temperaturen. In den Mittagsstunden waren nur wenige Menschen unterwegs; die Uferstraße war nahezu autofrei. Eine überaus geruhsame Dorfidylle schien sich anzubieten.

Wieder einmal gingen sie miteinander spazieren – der Hund voran, der Mann hinterher. Der eine schnüffelte seinen Bedürfnissen nach, der andere betrachtete Formationen von Bäumen. Doch dabei war die Entfernung zwischen ihnen, die gewöhnlich so an die zehn, zwanzig Meter betrug, diesmal wesentlich größer geworden.

Als das der Mann endlich merkte, sah er sich suchend nach seinem Hund um. Und den erblickte er dann, etwa vierzig Meter entfernt, mitten auf der Straße. Dort aber schien der lediglich ein dunkelschwarzer Mittelpunkt zu sein, den zwei betongraue Pakete flankierten. Was bedeutete: diese bedrohlich mächtigen Schäferhunde hatten ihn gestellt, jetzt schienen ihn diese Tiergiganten vernichtungsbereit zu umkreisen.

»In diesen Augenblicken«, berichtete dann später der Mann seiner Frau, »überkam mich, ganz offen gestanden, fürchterliche Angst!«

»Muckels wegen?« fragte sie dann erheitert. Schließlich kannte sie ja bereits den Ausgang dieses Ereignisses.

»Ja, selbstverständlich – Muckels wegen!« versicherte er überaus ernsthaft. »Denn der schien nun diesen grandiosen Bestien geradezu ausgeliefert zu sein – der stand diesen geballten Kräften einer fürchterlichen Vernichtung gegenüber. Was ich selbstverständlich nicht zulassen durfte.«

»Und auch das gehörte mit zu deiner Angst – bei dieser Begegnung?«

»Natürlich«, bekannte er. »Denn nun mußte ich wohl allein den Entschluß fassen: mich vor Muckel hinzustellen, mich vor ihn zu werfen, wenn es sein mußte! Um die Angriffe dieser Tiere von ihm abzuwehren. Und das selbst auf die Gefahr hin, daß die mich dann angreifen, mich zerbeißen würden.«

»Aber dir«, stellte sie sanft nachsichtig fest, »ist dabei nichts geschehen.«

»Was keinesfalls vorauszusehen war! Weil ich immer noch nicht wußte«, versicherte er, nun mit kaum noch verborgener Rührung, »wer unser Mukkel wirklich ist – wozu der fähig ist.«

Was tatsächlich dabei geschah, hatten selbst kompetente Tierkenner kaum für möglich gehalten – nachsichtige Tierfreunde schon eher. Zunächst hatte es den Anschein, als würden nunmehr aufgestaute Urinstinkte ausbrechen, sich enthemmt austoben. Denn zwischen diesen beiden gigantischen Machtkerlen wirkte Muckel unsagbar klein und zierlich; geradezu verloren.

Doch bevor sich dann der Mann verteidigungsbereit in diesen wohl unvermeidlichen Daseinskampf hineinstürzen konnte, erkannte er, vermutlich gerade noch rechtzeitig, was er später als »einen einmaligen Vorgang« bezeichnen sollte.

Die beiden Schäferhunde hechelten heftig, streckten ihre langen, lachsroten Zungen weit heraus. Um dann damit zu beginnen, Muckel voller Freude intensiv anzulecken, geradezu abzuschlekken. Seine Nase, seine Stirn, seine Ohren. Wobei Muckel standbildhaft starr dastand; verwundert, ergeben und nachsichtig.

Doch dann sprang er, wohl um weiteren derartigen feuchtnassen Liebkosungen zu entgehen, diese vermeintlichen Monstren spielerisch an. Und auf diese Anregung gingen sie unverzüglich ein. Alsbald berochen sie sich, tänzelten umeinander herum, wälzten sich miteinander auf der Straße.

Und wenn so was auch mit ausgelassener Heftigkeit geschah, so konnte man sich dabei doch auf das ganz sichere körperliche Feingefühl dieser Tiere verlassen. Das schloß, bei aller Heftigkeit, jede mögliche Verletzung aus. Und bald war es, als hätten der Muckelkerl und die Schäferhundgewaltigen derartige Spiele, eng vertraut, bereits ein Leben lang miteinander veranstaltet.

»Meine verehrten Hunde!« rief ihnen dann der

Mann zu, wobei er sich ihnen erlösend froh, dennoch nicht ohne Vorsicht näherte; zumindest wollte er es vermeiden, sie irgendwie zu erschrekken. »Erlaubt mir bitte, euch zu einem Festessen einzuladen.«

Eine Anregung, die sie offenbar verstanden. Es war, als nickten sie erst sich, dann ihm zu. Er wies ihnen den Weg, und sie folgten ihm. Es war, als wären sie bereits seit endlosen Zeiten gut miteinander bekannt.

Der gemeinsame Marsch durch ihr Dorf war ein Anblick sondergleichen. Dabei marschierte Mukkel stolz als Mittelpunkt dahin; flankiert von den prächtigen Schäferhunden – wohl Mutter und Sohn. Und der Mann, einfach glücklich, trottete gleich einem vierten Lebewesen dieser Art hinter ihnen her.

Unsagbar stolz führte dann der Mann seiner Frau diese Besucher vor. Die reagierte zwar erkennbar entzückt, doch ohne große Aufregung; wie immer, wenn es sich um Tiere handelte. Sie öffnete die Tür ihres Hauses einladend weit. Nicht jedoch, ohne vorher ihren Katzen bedeutet zu haben; eine gewisse Vorsicht könne nicht schaden.

Das angekündigte große Festessen für diese Freunde fand dann auf der Terrasse statt. Dort lagerten die sich genußbereit vereint hin. Um dann mit steigender Zufriedenheit zu verspeisen: diverse Leberwürste, etliche Portionen Saftschinken, jede Menge von gebratenem Hühnerfleisch – selbstverständlich ohne Knochen.

Das alles mampften sie freudig in sich hinein. Wobei der Mann versuchte, sich überaus vorsichtig zu ihnen zu hocken. Er wurde willkommen geheißen. Dabei legte sogar einer der Schäferhunde seine mächtige Pfote auf dessen Arm, ließ sich sogar von ihm streicheln und knurrte wonnig vor sich.

Der Mann umarmte seinen Muckel zärtlich. Und der ließ sich das sichtlich gerne gefallen, ohne sich jedoch von einer seiner Lieblingsspeisen, zartweißem Hühnerbrustfleisch, sonderlich ablenken zu lassen. »Nun, mein Freund«, flüsterte ihm der Mann zu, »haben wir es wohl endgültig geschafft! Endlich können wir hier jetzt ruhig miteinander leben – solange wir noch zu leben haben.«

Und das war ihnen auch vergönnt. Überaus glückliche, gemeinsame Jahre durften sie noch miteinander verbringen. Wobei sie sich geschworen zu haben schienen, das denkbar Beste daraus zu machen.

Was ihnen gelang.